Libro del alumno

Nivel 1

A1

María Ángeles Palomino

GRUPO DIDASCALIA, S.A.

Este es un curso de español para jóvenes que parte de las aportaciones de dos documentos oficiales:

- del *Marco común de referencia*, que ofrece unas pautas metodológicas y describe los niveles de dominio de todas las lenguas,
- y de los *Niveles de referencia para el español*, que fijan los contenidos lingüísticos y socioculturales de cada uno de esos niveles.

Así, este manual propone una metodología innovadora y actual porque aplica un enfoque por competencias y porque realiza una enseñanza que va dirigida a la acción. Al mismo tiempo, se ajusta tanto a los descriptores de niveles oficiales, como a los planes de estudio de la Enseñanza Secundaria. Y, por último, es un novedoso material didáctico que se adapta a las necesidades del aula, ya que tiene en cuenta las sugerencias aportadas por los usuarios de la edición anterior de *Chicos Chicas*.

Estructura:

Tras una lección inicial de primer contacto con la lengua y la cultura, está constituido por seis módulos, cada uno de ellos articulado en las siguientes secciones:

- Página de entrada con los contenidos que se van a estudiar y las competencias que se van a desarrollar.
- Dos lecciones desarrolladas cada una en dos páginas en las que se presentan los contenidos en una muestra de lengua, se sistematizan en actividades de gramática y funciones, y se practican en actividades diversas.
- Una página de actividades lúdicas, **A divertirse**, para un refuerzo de los contenidos aprendidos.
- Una página de puesta en práctica y uso, **Acción**.
- Una doble página en la que se aborda el conocimiento de la cultura, se desarrolla la pluriculturalidad y se trabajan especialmente la comprensión lectora y la expresión escrita, **Magacín cultural**.
- Una doble página de recapitulación, **Prepara tu examen**.
- Y una página de autoevaluación, **Evalúa tus conocimientos**.

Al final del libro, ofrece un apéndice de las conjugaciones de los verbos trabajados en los módulos, una recapitulación de los cuadros de gramática y una sistematización de las funciones. Asimismo, presenta un Portfolio o autoevaluación siguiendo las recomendaciones del Consejo de Europa.

Como complemento para sus clases, dispone:
- de una carpeta de lecturas y actividades complementarias.
- de un Libro de ejercicios con actividades de refuerzo y profundización.

Módulo 1:
Presenta a tus amigos.

página 11

Módulo 2:
Celebra un cumpleaños español.

página 23

Módulo 3:
Haz una encuesta.

página 35

Competencia pragmática

▶ **Eres capaz de...**
- ›› Saludar y despedirte.
- ›› Presentarte.
- ›› Preguntar y decir el nombre y la nacionalidad.
- ›› Utilizar tú o usted.

▶ **Eres capaz de...**
- ›› Hablar de los regalos y los objetos de tu clase.
- ›› Preguntar y decir la edad.
- ›› Preguntar y decir el día del cumpleaños.
- ›› Decir una fecha.

▶ **Eres capaz de...**
- ›› Presentar las actividades de clase.
- ›› Preguntar y decir la hora.
- ›› Hablar de las asignaturas.
- ›› Explicar tu horario de clases.

Competencias lingüísticas

Competencia gramatical

▶ **Aprendes...**
- ›› Los interrogativos: cómo, dónde.
- ›› El presente de indicativo: llamarse, ser.
- ›› Los pronombres sujeto.

▶ **Aprendes...**
- ›› Los interrogativos: cuántos, qué, cuándo.
- ›› Los artículos definidos.
- ›› Los artículos indefinidos.
- ›› El género de los nombres.
- ›› El singular y el plural de los nombres.
- ›› El presente de indicativo del verbo tener.

▶ **Aprendes...**
- ›› El presente de indicativo: verbos en -ar, -er, -ir.
- ›› El presente de indicativo: verbo hacer.
- ›› Los interrogativos: qué, cuánto + verbo, cuántos / cuántas + nombre en plural, cuál es / cuáles son.
- ›› La frecuencia: los lunes, los martes...

Competencia léxica

▶ **Conoces...**
- ›› Los países.
- ›› Las nacionalidades.

▶ **Conoces...**
- ›› El material escolar.
- ›› Los números del 1 al 31.
- ›› Los días de la semana, los meses y las estaciones.

▶ **Conoces...**
- ›› Las actividades de clase.
- ›› Las asignaturas.

Competencia fonética

▶ **Pronuncias y escribes...**
- ›› La frase interrogativa y exclamativa.

▶ **Pronuncias y escribes...**
- ›› La sílaba acentuada de las palabras.

▶ **Pronuncias y escribes...**
- ›› Las palabras con el acento en la penúltima sílaba.

Conocimiento sociocultural

▶ **Descubres...**
- ›› El mapa cultural de España.

▶ **Descubres...**
- ›› El ritmo escolar en España, las vacaciones y las fiestas.

▶ **Descubres...**
- ›› El sistema educativo español.
- ›› Los horarios escolares.

Complemento: carpeta de lecturas y actividades.

Módulo 4:
Describe tu vida cotidiana.

▶ **Eres capaz de...**
- ›› Presentar las actividades cotidianas.
- ›› Decir los colores.
- ›› Expresar gustos.
- ›› Dar la opinión: para mí, yo creo que...
- ›› Expresar acuerdo y desacuerdo.

▶ **Aprendes...**
- ›› Interrogativos: a qué y de qué.
- ›› El presente de indicativo de:
  - verbos con pronombres: levantarse, ducharse...
  - verbo irregular: salir.
- ›› Los colores: género y número.
- ›› El verbo gustar y los pronombres personales.

▶ **Conoces**...
- ›› Las actividades cotidianas.
- ›› Los colores.

▶ **Pronuncias y escribes...**
- ›› Las palabras con el acento en la última sílaba.

▶ **Descubres...**
- ›› Los horarios cotidianos españoles.
- ›› Cantantes famosos.

Módulo 5:
Presenta a tu familia.

▶ **Eres capaz de...**
- ›› Presentar a tu familia.
- ›› Describir personas: el físico.
- ›› Contar hasta cien.

▶ **Aprendes...**
- ›› Los adjetivos posesivos.
- ›› El adjetivo calificativo.

▶ **Conoces...**
- ›› La familia.
- ›› Los adjetivos para describir el físico.

▶ **Pronuncias y escribes...**
- ›› Las palabras con el acento en la antepenúltima sílaba.

▶ **Descubres...**
- ›› La familia española.

Módulo 6:
Imagina tu habitación ideal.

▶ **Eres capaz de...**
- ›› Describir tu casa.
- ›› Situar en el espacio.
- ›› Expresar existencia: decir qué hay.
- ›› Dar una dirección postal.

▶ **Aprendes...**
- ›› Hay + un/a, dos... + palabra en plural.
- ›› El / la / los / las + está(n).
- ›› Presente de indicativo: estar.
- ›› Las expresiones de lugar.

▶ **Conoces...**
- ›› La casa: habitaciones y elementos.
- ›› La habitación: los muebles y objetos.
- ›› Los ordinales: primero, segundo...

▶ **Pronuncias y escribes...**
- ›› El acento escrito.

▶ **Descubres...**
- ›› La vivienda en España.

1 ▶ Primer contacto con España

»a **España y sus 17 comunidades.**

1. Galicia

2. Asturias

1. Galicia

2. Principado de Asturias
• Oviedo

3. Cantabria
Santander

4. País Vasco
Vitoria

Logroño Pamplona
6. Navarra

5. La Rioja

• Valladolid
9. Castilla y León

• Zaragoza
7. Aragón

8. Cataluña

Barcelona

• Madrid
10. Madrid

• Toledo

11. Castilla-La Mancha

12. Comunidad Valenciana
• Valencia

14. Extremadura
• Mérida

• Palma de Mallorca

13. Islas Baleares

Murcia
16. Región de Murcia

• Sevilla
15. Andalucía

3. Cantabria

17. Islas Canarias

• Santa Cruz de Tenerife

Las Palmas de
Gran Canaria

4. País Vasco

5. La Rioja

6. Navarra

7. Aragón

1. Números, números.

a. Escucha y lee.
b. Escucha y repite.

> **1.** uno **2.** dos **3.** tres **4.** cuatro **5.** cinco **6.** seis **7.** siete
> **8.** ocho **9.** nueve **10.** diez **11.** once **12.** doce **13.** trece
> **14.** catorce **15.** quince **16.** dieciséis **17.** diecisiete

2. Las Comunidades y sus capitales.

a. Escucha el nombre de las Comunidades. Indica el número.

 Castilla y León.

 Nueve.

b. Observa el mapa y completa los nombres de las capitales en tu cuaderno.

c. Escucha y comprueba.

1. Galicia, Santiago de Compostela
2. Principado de Asturias, _ _ _ _ _ _ _
3. Cantabria, Santander
4. País Vasco, _ _ _ _ _ _ _
5. La Rioja, Logroño
6. Navarra, _ _ _ _ _ _ _ _
7. Aragón, Zaragoza
8. Cataluña, _ _ _ _ _ _ _ _ _
9. Castilla y León, Valladolid
10. Madrid, _ _ _ _ _ _
11. Castilla-La Mancha, Toledo
12. Comunidad Valenciana, _ _ _ _ _ _ _ _
13. Islas Baleares, Palma de Mallorca
14. Extremadura, _ _ _ _ _ _
15. Andalucía, Sevilla
16. Región de Murcia, _ _ _ _ _ _
17. Islas Canarias, Las Palmas de Gran Canaria, Santa Cruz de Tenerife

8. Cataluña

9. Castilla y León

10. Madrid

11. Castilla-La Mancha

12. Comunidad Valenciana

13. Islas Baleares

14. Extremadura

15. Andalucía

16. Región de Murcia

17. Canarias

Hola, me llamo...
➤➤a **Escucha y lee.**

¡Hola! Me llamo Lorena y vivo en Salamanca.

¡Hola! Me llamo Lucas y vivo en Toledo.

¡Hola! Me llamo Pedro y vivo en Valencia.

Salamanca

Madrid

Toledo

Valencia

Córdoba

Sevilla

¡Hola! Me llamo Virginia y vivo en Córdoba.

¡Hola! Me llamo Carlos y vivo en Sevilla.

➤➤b **Habla con tus compañeros.**

¡Hola! Me llamo Marta y vivo en Madrid.

¡Hola! Me llamo David. ¿Y tú?

Yo me llamo...

3 ▶ El alfabeto

Canción del alfabeto.
»a **Escucha la canción y lee las letras.**

¿Cómo se escribe?
»b **Lee las letras.**

AZAORZAG   DADILOVLAL   DASNENART

ROCENABAL   GOÑOLRO

»c **Ordena las letras y escribe el nombre de cinco ciudades españolas.**

Nueve amigos españoles.
»d **Escucha los nombres. Indica el número.**

4 ▶ La pronunciación

1. Nombres españoles.
» **a** Escucha y lee estos nombres españoles.
» **b** Escucha de nuevo y repite.

a	Armando	**n**	Natalia
b	Blas	**ñ**	Íñigo
c	Carmen, Nico, Pascual, Cristina, Cecilia	**o**	Ofelia
ch	Charo	**p**	Patricia
d	David	**q**	Quique
e	Elena	**r**	Ramón, Montserrat, Marina, Marta, Héctor
f	Felipe	**s**	Sara
g	Gabriel, Gustavo, Gregorio, Guillermo, Miguel, Gema, Gilda	**t**	Tomás
h	Hugo	**u**	Úrsula
i	Isidro	**v**	Verónica
j	Julia, Javier, José	**w**	Wenceslao
k	Iñaki	**x**	Roxana
l	Luis	**y**	Yolanda, Eloy
ll	Estrella	**z**	Gonzalo
m	Marta		

» **c** ¿Existen los mismos nombres en tu país?

2. ¿Cómo se pronuncia?
» **a** Escucha y observa.
» **b** Escucha de nuevo y repite.

b - v	Blas - Verónica
c + a/o/u/consonante - **qu** + e/i	Carmen, Cristina - Quique
c + e/i - **z** + a/o/u	Cecilia - Gonzalo
g + a/o/u/consonante - **gu** +e/i	Gabriel, Gregorio Guillermo, Miguel
g + e/i - **j** + a/e/i/o/u	Gema, Gilda - Julia, Javier, José
i - y (final)	Isidro - Eloy
ll - vocal + **y** + vocal	Estrella - Amaya

3. ¿Cómo se escribe?
» **a** Reconstruye, de memoria, ocho nombres del ejercicio 1.

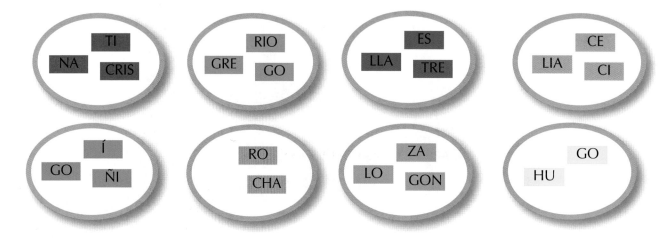

Módulo

Acción

PRESENTA A TUS AMIGOS

▶ **Eres capaz de...**

▸ **Saludar y despedirte.**
▸ **Presentarte.**
▸ **Preguntar y decir el nombre y la nacionalidad.**
▸ **Utilizar tú o usted.**

Competencia gramatical

▶ **Aprendes...**

▸ **Los interrogativos:** cómo, dónde.
▸ **El presente de indicativo:** llamarse, ser.
▸ **Los pronombres sujeto.**

Competencias lingüísticas

Competencia léxica

▶ **Conoces...**

▸ **Los países.**
▸ **Las nacionalidades.**

Competencia fonética

▶ **Pronuncias y escribes...**

▸ **La frase interrogativa y exclamativa.**

Conocimiento sociocultural

▶ **Descubres...**

▸ **El mapa cultural de España.**

1 lección ¡Hola!

1 ▷ En un chat

Alicia y Sara conectan con Pedro.

»a Escucha y lee.

Alicia:	¡Hola! ¿Eres Pedro?
Pedro:	Sí. Y tú, ¿cómo te llamas?
Alicia:	Me llamo Alicia.
Pedro:	Hola, Alicia. Perdona, me voy a clase. ¡Hasta luego!
Alicia:	¡Adiós, hasta luego!

»b Relaciona.

¿Qué dices para...?

1. Preguntar el nombre.
2. Decir tu nombre.
3. Saludar.
4. Despedirte.

a. ¡Hola!
b. Me llamo...
c. ¡Adiós, hasta luego!
d. ¿Cómo te llamas?

»c Preséntate.

Hola, me llamo...

2 ▷ Saluda a tus amigos

»a Observa.

¡Hola, buenos días!

¡Hola, buenas tardes!

¡Adiós, buenas noches!

»b Escucha y escribe la respuesta.

18:00

HUGO

PALOMA

1.

09:30

ALICIA

SONIA

2.

15:45

ANTONIO

JAIME

3.

21:30

MACARENA

ALBERTO

4.

3 ▶ El primer día | de clase

¡Hola, buenos días!
»a **Escucha y lee.**

Profesor:	¡Hola, buenos días!
Alumnos:	¡Buenos días!
Profesor:	Soy el profesor de Ciencias.
Alicia:	¿Cómo se llama?
Profesor:	Me llamo Arturo Lago Muñoz. Y vosotros, ¿cómo os llamáis?
Alicia:	Me llamo Alicia.
Sara:	Y yo, Sara.
Pedro:	Y yo, Pedro.
Alicia:	¿Te llamas Pedro?
Pedro:	Sí.
Sara:	¡Es Pedro, del chat!

»b **Marca en tu cuaderno las formas del verbo llamarse en el diálogo.**

4 ▶ En el aula: ¿*Tú* o *usted*?

»a **Observa.**

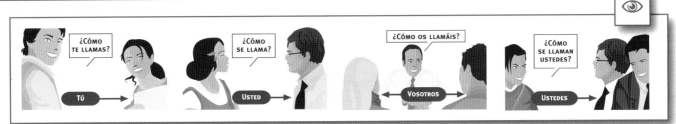

¿CÓMO TE LLAMAS? — TÚ

¿CÓMO SE LLAMA? — USTED

¿CÓMO OS LLAMÁIS? — VOSOTROS

¿CÓMO SE LLAMAN USTEDES? — USTEDES

»b **Completa los diálogos en tu cuaderno con las formas del verbo llamarse. Luego, escucha y comprueba.**

1. • *Julia:* ¿Cómo _____?
   • *Elena:* _____ Elena.

2. • *Elena:* ¿Cómo _____?
   • *Profesora:* _____ Rosa Ríos Gil, soy la profesora de Lengua.

3. • *José:* ¿Cómo _____?
   • *Profesora:* _____ Sara Jaén Sáez, soy la profesora de Música.
   • *Profesor:* Y yo _____ Juan Coseno Pérez, soy el profesor de Matemáticas.

gramática

	LLAMARSE	SER
(Yo)	me llamo	soy
(Tú)*	te llamas	eres
(Usted, él, ella)	se llama	es
(Nosotros/as)	nos llamamos	somos
(Vosotros/as)**	os llamáis	sois
(Ustedes, ellos, ellas)	se llaman	son

* En Argentina y en diversas zonas de América: (Vos) te *llamás, sos.*
** No se usa en América Latina. Solo se usa *ustedes.*

5 ▶ Como un | español

»a **Elige un nombre y dos apellidos españoles y practica.**

Chico	Chica	Apellidos		En clase
José	María	Pérez	Portilla	Profesor de…
Antonio	Lola	García	Escudero	Profesora de…
Carlos	Eva	Martínez	Torres	Estudiante.
Juan	Charo	Gil	Muñoz	

Buenos días. Yo soy Antonio Pérez Gil. Y usted, ¿cómo se llama?

Soy…

Los países

1 ▶ Ciudadano del mundo

▶▶a **Escucha y escribe en tu cuaderno los nombres de los países.**

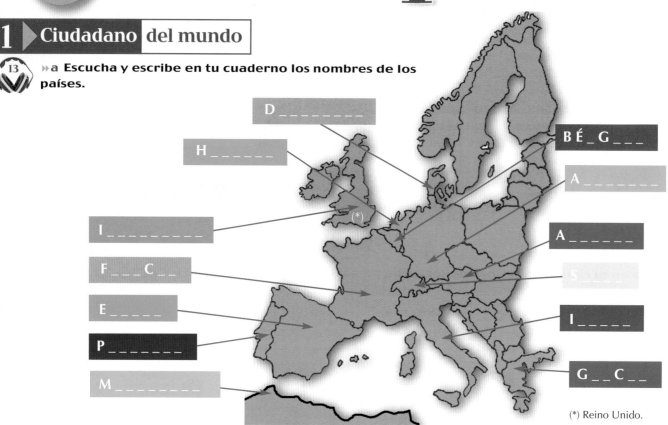

D _ _ _ _ _ _ _

H _ _ _ _ _ _

I _ _ _ _ _ _ _ _

F _ _ _ C _ _

E _ _ _ _ _

P _ _ _ _ _ _ _

M _ _ _ _ _ _ _

B É _ G _ _ _

A _ _ _ _ _ _ _

A _ _ _ _ _ _

S _ _ _ _ _

I _ _ _ _ _

G _ _ C _ _

(*) Reino Unido.

▶▶b **¿Qué nombres de países puedes escribir con estas letras?**

E   M   U   C   A   P   Ñ   B   I

S   F   N   R   G   T   D   L   O

GRECIA

2 ▶ ¿De dónde eres?

▶▶a **Escucha diez nacionalidades, di el nombre del país y escríbelo en tu cuaderno.**

italiano, italiana:
Italia.

alemán alemana	griego griega
austríaco austríaca	holandés holandesa
belga belga	inglés inglesa
danés danesa	italiano italiana
español española	portugués portuguesa
francés francesa	suizo suiza

gramática

MASCULINO
Terminada en consonante
español - alemán
Terminada en -o
italiano - griego

FEMENINO
+ -a
española - alemana
-o **cambia a -a**
italiana - griega

Especial:
Terminada en -a: no cambia: *belga > belga*
Terminada en -e: no cambia: *canadiense > canadiense*
Terminada en -i: no cambia: *marroquí > marroquí*

En América se habla español

»a Escucha, señala los países en el mapa y completa el cuadro.

Perú:
peruano, peruana.

argentino	.... cubana
boliviano	estadounidense ....
.... brasileña	mexicano ....
canadiense	.... peruana
.... chilena	uruguaya
colombiano	venezolano ....

Canadá

Estados Unidos

Cuba

México

Venezuela

Colombia

Perú

Brasil

Bolivia

Uruguay

Chile

Argentina

»b ¿En qué países el español es lengua oficial?

Y tú, ¿de dónde eres?

»a Elige un país. ¿De dónde eres?

DECIR LA NACIONALIDAD
- ¿De dónde eres?
- Soy española. ¿Y tú?
- Soy italiano.

Futbolistas del mundo

»a Observa, di los nombres y de qué nacionalidad son.

Zinedine Zidane (Francia)
Raúl González (España)
Ronaldo (Brasil)
David Beckham (Inglaterra)

El número cinco
se llama Raúl y es
español.

¡A divertirse!

1 ▸ JUEGA CON LOS NÚMEROS

16

▸▸1. Escucha e identifica a cinco amigos de Verónica.

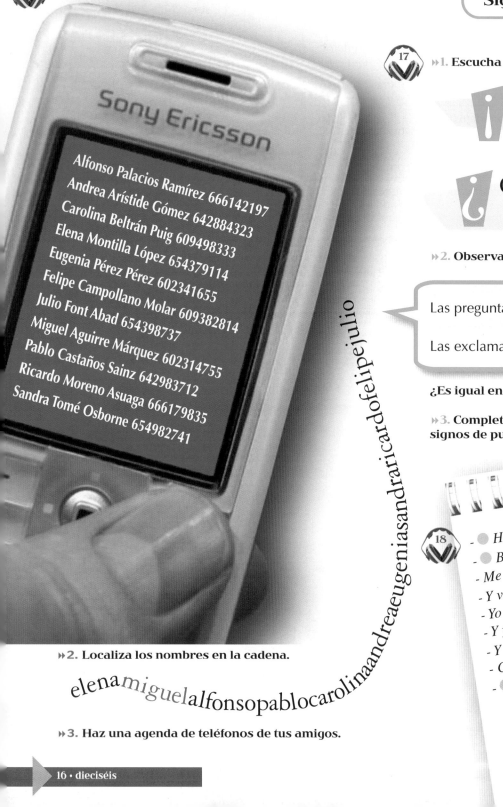

Sony Ericsson

Alfonso Palacios Ramírez 666142197
Andrea Arístide Gómez 642884323
Carolina Beltrán Puig 609498333
Elena Montilla López 654379114
Eugenia Pérez Pérez 602341655
Felipe Campollano Molar 609382814
Julio Font Abad 654398737
Miguel Aguirre Márquez 602314755
Pablo Castaños Sainz 642983712
Ricardo Moreno Asuaga 666179835
Sandra Tomé Osborne 654982741

elenamiguelalfonsopablocarolinaandreaeugeniasandraricardofelipejulio

▸▸2. Localiza los nombres en la cadena.

elenamiguelalfonsopablocarolina

▸▸3. Haz una agenda de teléfonos de tus amigos.

2 ▸ JUEGA CON LOS SONIDOS

> Signos de puntuación.

17

▸▸1. Escucha y repite.

 Hola
Buenos días

¿ Cómo te llamas
De dónde eres

▸▸2. Observa y elige la opción correcta.

Las preguntas llevan ☐ ¿? ☐ ¡!

Las exclamaciones llevan ☐ ¿? ☐ ¡!

¿Es igual en tu lengua?

▸▸3. Completa el diálogo en tu cuaderno con los signos de puntuación.

18

- ● Hola, buenos días ● Soy el entrenador.
- ● Buenos días ● Cómo se llama
- Me llamo Luis Serrano.
- Y vosotros, ● cómo os llamáis
- Yo me llamo Pablo.
- Y yo, Rafa.
- Y tú, ● cómo te llamas
- Carolina.
- ● Hola a todos

Acción

1. Lee los *blogs* de Nacho y Marta y completa las fichas.

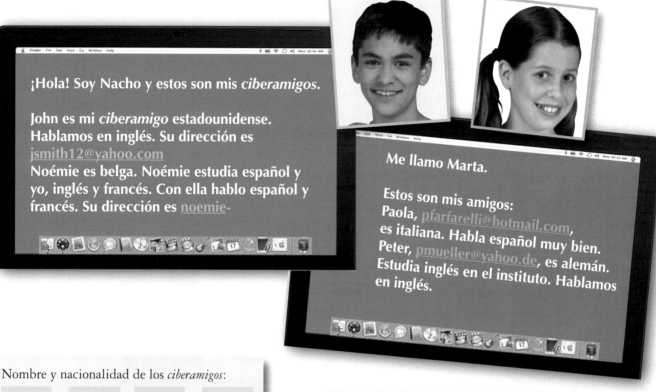

¡Hola! Soy Nacho y estos son mis *ciberamigos*.

John es mi *ciberamigo* estadounidense. Hablamos en inglés. Su dirección es jsmith12@yahoo.com
Noémie es belga. Noémie estudia español y yo, inglés y francés. Con ella hablo español y francés. Su dirección es noemie-

Me llamo Marta.

Estos son mis amigos:
Paola, pfarfarelli@hotmail.com, es italiana. Habla español muy bien.
Peter, pmueller@yahoo.de, es alemán. Estudia inglés en el instituto. Hablamos en inglés.

Nombre y nacionalidad de los *ciberamigos*:

_____ es _____ y _____ es _____

En el instituto estudia _____ y _____

Nombre y nacionalidad de los *ciberamigos*:

_____ es _____ y _____ es _____

En el instituto estudia _____

2. Di si es verdadero o falso.

	V	F
1. Nacho estudia francés en el instituto.	☐	☐
2. John es inglés.	☐	☐
3. Marta habla alemán.	☐	☐
4. Noémie es francesa.	☐	☐

Ahora, haz tu *blog* y presenta a tus amigos. Indica el país, los nombres y en qué idiomas hablas con cada uno de tus amigos.

MAGACÍN CULTURAL

1. ¿Qué sabes de España?

1. Mini-test geográfico.

a. España tiene…
- [ ] más de 40 millones de habitantes.
- [ ] menos de 40 millones de habitantes.

b. En España se habla…
- [ ] una lengua.
- [ ] cuatro lenguas.

c. Juan Carlos I y Sofía son los Reyes de España:
- [ ] verdadero.
- [ ] falso.

d. La bandera de España es…
- [ ] a
- [ ] b

a.   b.

e. La moneda de España es…
- [ ] la peseta.
- [ ] el euro.

2. Lee a Virginia y comprueba tus respuestas.

Los Reyes de España.

Los jóvenes hablan de su país

¡Hola! Me llamo Virginia. Vivo en España, en Córdoba, en Andalucía. En España somos más de 40 millones.

Mi mejor amiga se llama Belén y vive en Santiago de Compostela, en Galicia. Habla español y gallego. Mi amigo Alfonso vive en Barcelona, en Cataluña, y habla español y catalán. En España se habla español, pero también catalán, gallego y vasco.

Los Reyes de España son Don Juan Carlos y Doña Sofía.

La moneda es el euro.

Habla de tu país
➤ enviar

Billete de diez euros.

Descubre España

2. El mapa de España.

1. Observa el mapa y responde a las preguntas.

a. ¿Cuántas comunidades hay en España?

b. ¿En qué comunidad está...?
   - el Museo del Prado
   - la Alhambra
   - el Pilar
   - la Catedral de Santiago
     de Compostela

c. Observa el nombre de los idiomas
    oficiales de España y deduce en qué
    comunidades se hablan...
   - el catalán.
   - el gallego.
   - el vasco.

d. ¿De dónde es...?
   - la paella.
   - Don Quijote.
   - el flamenco.

e. ¿Dónde están las islas Canarias?

Interculturalidad

Ahora indica estos elementos de tu país y dibuja la bandera.
a. La capital.
b. Las ciudades más importantes.
c. La moneda.
d. El idioma oficial.
e. Las regiones.
f. Los monumentos.

Prepara tu examen

Comunicación

Saludar

¡Hola! ¿Qué tal?

¡Buenos días!

¡Buenas tardes!

¡Buenas noches!

Despedirse

Adiós.

Hasta luego.

Preguntar y decir el nombre

Tú

¿Cómo te llamas?

Me llamo Alicia, ¿y tú?

Usted

¿Cómo se llama?

Me llamo Alicia, ¿y usted?

Presentarse

Soy Raúl.

Soy la profesora de Inglés.

Identificar

¿Quién es?

Es Pedro.

Preguntar y decir la nacionalidad

¿De dónde eres?

Soy italiana. ¿Y tú?

Gramática

Interrogativos

▸ ¿Cómo te llamas? ¿De dónde eres?

Presente de indicativo

Los pronombres sujeto

	LLAMARSE	SER	HABLAR
(Yo)	me llamo	soy	hablo
(Tú)[1]	te llamas	eres	hablas
(Usted, él, ella)	se llama	es	habla
(Nosotros, nosotras)	nos llamamos	somos	hablamos
(Vosotros, vosotras)	os llamáis	sois	habláis
(Ustedes, ellos, ellas)	se llaman	son	hablan
[1] *(Vos)*	*te llamás*	*sos*	*hablás*

Vocabulario

▶ Países y nacionalidades

▸ Alemania	alemán	alemana
▸ Argentina	argentino	argentina
▸ Austria	austríaco	austríaca
▸ Bélgica	belga	belga
▸ Bolivia	boliviano	boliviana
▸ Brasil	brasileño	brasileña
▸ Canadá	canadiense	canadiense
▸ Colombia	colombiano	colombiana
▸ Cuba	cubano	cubana
▸ Dinamarca	danés	danesa
▸ España	español	española

▸ Estados Unidos	estadounidense	estadounidense
▸ Francia	francés	francesa
▸ Grecia	griego	griega
▸ Holanda	holandés	holandesa
▸ Inglaterra	inglés	inglesa
▸ Italia	italiano	italiana
▸ Marruecos	marroquí	marroquí
▸ México	mexicano	mexicana
▸ Portugal	portugués	portuguesa
▸ Suiza	suizo	suiza
▸ Venezuela	venezolano	venezolana

▶ Idiomas

▸ el alemán, ▸ el español, ▸ el francés, ▸ el inglés, ▸ el italiano.

▶ Identidad

▸ el apellido
▸ la nacionalidad
▸ el nombre
▸ el país

▶ Otras palabras

▸ la actividad
▸ la bandera
▸ el chico, la chica
▸ la clase
▸ el compañero, la compañera
▸ la conversación
▸ el cuaderno
▸ el diálogo

▸ la frase
▸ el habitante
▸ el idioma
▸ la ilustración
▸ el instituto
▸ el mapa
▸ las matemáticas
▸ la moneda

▸ el mundo
▸ el profesor, la profesora
▸ el rey, la reina
▸ el texto
▸ el verbo

Evalúa tus conocimientos.

1.

COMPRENDO UN TEXTO ESCRITO: DOS CHICOS SE CONOCEN.

☐ mal
☐ regular
☐ bien
☐ muy bien

Ordena el diálogo.

El primer día de clase:

1. Susana   *No, no.*
2. Susana   *Me llamo Susana, ¿y tú?*
3. Susana   *¿Tiago? ¿Eres español?*
4. Susana   *Hablas muy bien el español.*
5. Susana   *¡Hola! ¿Qué tal?*
6. Susana   *¿Y de dónde eres?*
7. Tiago   *Soy de Oporto.*
8. Tiago   *Tiago.*
9. Tiago   *¿Cómo te llamas?*
10. Tiago   *Muchas gracias. Y tú, ¿hablas portugués?*
11. Tiago   *No, soy portugués.*

2.

(19) 🎧   **COMPRENDO UN TEXTO ORAL: UNA AMIGA SE PRESENTA.**

☐ mal
☐ regular
☐ bien
☐ muy bien

Escucha a Carlota. Marca en tu cuaderno si las afirmaciones son verdaderas o falsas.

	V	F
1. Carlota vive en Las Palmas.	☐	☐
2. Las Palmas está en las Islas Baleares.	☐	☐
3. Tiene fotos de seis países diferentes.	☐	☐
4. En el instituto estudia alemán y francés.	☐	☐
5. Virginia es una amiga de Carlota.	☐	☐
6. Elena es la entrenadora del equipo de baloncesto.	☐	☐

3.

📝   **ESCRIBO UN TEXTO: MIS DATOS PERSONALES.**

☐ mal
☐ regular
☐ bien
☐ muy bien

a. Completa el cuadro con tu información personal.

Nombre	Apellido	Nacionalidad	Ciudad	¿Qué idiomas estudias en el instituto?

b. Ahora, escribe un texto con la información del ejercicio a.

4.

💬   **HABLO: PREGUNTO Y DIGO MI NOMBRE.**

☐ mal
☐ regular
☐ bien
☐ muy bien

Imagina la conversación.

Módulo  2

CELEBRA UN CUMPLEAÑOS ESPAÑOL

Competencia pragmática

▶ **Eres capaz de...**

›› **Hablar de los regalos y los objetos de tu clase.**
›› **Preguntar y decir la edad.**
›› **Preguntar y decir el día del cumpleaños.**
›› **Decir una fecha.**

Competencias lingüísticas

Competencia gramatical

▶ **Aprendes...**

›› **Los interrogativos:** cuántos, qué, cuándo.
›› **Los artículos definidos.**
›› **Los artículos indefinidos.**
›› **El género de los nombres.**
›› **El singular y el plural de los nombres.**
›› **El presente de indicativo del verbo** tener.

Competencia léxica

▶ **Conoces...**

›› **El material escolar.**
›› **Los números del 1 al 31.**
›› **Los días de la semana, los meses y las estaciones.**

Competencia fonética

▶ **Pronuncias y escribes...**

›› **La sílaba acentuada de las palabras.**

Conocimiento sociocultural

▶ **Descubres...**

›› **El ritmo escolar en España,
las vacaciones y las fiestas.**

Mis cosas

1 ▶ En la mochila

Sara y Pedro ayudan a Alicia.
▶a **Escucha y lee.**

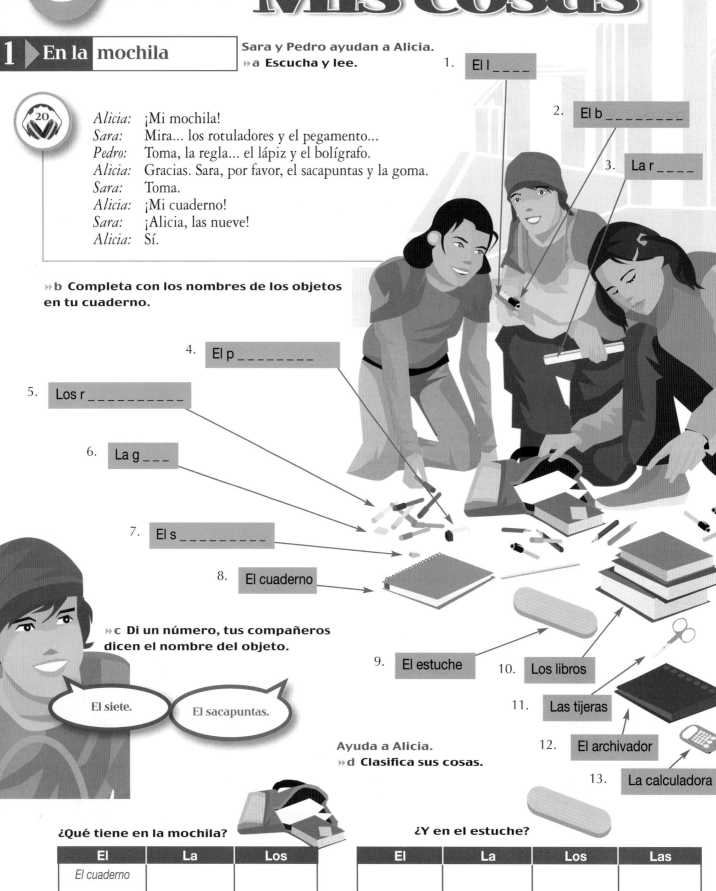

(20)

Alicia: ¡Mi mochila!
Sara: Mira... los rotuladores y el pegamento...
Pedro: Toma, la regla... el lápiz y el bolígrafo.
Alicia: Gracias. Sara, por favor, el sacapuntas y la goma.
Sara: Toma.
Alicia: ¡Mi cuaderno!
Sara: ¡Alicia, las nueve!
Alicia: Sí.

▶b **Completa con los nombres de los objetos en tu cuaderno.**

1. El l _ _ _ _
2. El b _ _ _ _ _ _ _ _
3. La r _ _ _ _
4. El p _ _ _ _ _ _ _ _
5. Los r _ _ _ _ _ _ _ _ _
6. La g _ _ _
7. El s _ _ _ _ _ _ _ _ _
8. El cuaderno
9. El estuche
10. Los libros
11. Las tijeras
12. El archivador
13. La calculadora

▶c **Di un número, tus compañeros dicen el nombre del objeto.**

El siete.

El sacapuntas.

Ayuda a Alicia.
▶d **Clasifica sus cosas.**

¿Qué tiene en la mochila?

El	La	Los
El cuaderno		

¿Y en el estuche?

El	La	Los	Las

El libro, la goma...

»a **Lee las palabras de la actividad anterior y marca la respuesta.**

1. Las palabras terminadas en **-o** son ☐ masculinas. ☐ femeninas.
2. Las palabras terminadas en **-a** son ☐ masculinas. ☐ femeninas.
3. Las palabras terminadas en **-or** son ☐ masculinas. ☐ femeninas.

»b **Observa.**

gramática

ARTÍCULOS DEFINIDOS

	Masculino	Femenino
Singular	el libro	la goma
Plural	los libros	las gomas

ARTÍCULOS INDEFINIDOS

	Masculino	Femenino
Singular	un libro	una goma
Plural	unos libros	unas gomas

gramática

SINGULAR	PLURAL
Palabras terminadas en vocal	+ **-s**
libro, goma, estuche	*libros, gomas, estuches*
Palabras terminadas en consonante	+ **-es**
rotulador, español	*rotuladores, españoles*
Palabras terminadas en -z	**-z > -ces**
lápiz	*lápices*
el sacapuntas	*los sacapuntas*
Las tijeras (siempre en plural)	

»c **Di el artículo de estas palabras. Después forma el plural.**

- regla
- pegamento
- bolígrafo
- compañero
- rotulador
- goma
- calculadora
- profesor
- libro
- archivador
- mochila
- cuaderno

Prepara tu mochila

»a **Observa la ilustración y escribe dos frases verdaderas y dos falsas.**

gramática

	TENER
(Yo)	tengo
(Tú)[1]	tienes
(Usted, él, ella)	tiene
(Nosotros/as)	tenemos
(Vosotros/as)*	tenéis
(Ustedes, ellos, ellas)	tienen
[1](Vos)	tenés

Pedro tiene dos rotuladores.

»b **Lee tus frases. Tus compañeros dicen si son verdaderas o falsas.**

Pedro tiene dos rotuladores.

¡Falso! Pedro tiene un rotulador.

»c **Y tú, ¿qué tienes en tu mochila?**

4 lección ¡Feliz cumpleaños!

1 ▷ El día de mi cumpleaños

21

La canción de los números.

▸a Escucha y escribe en tu cuaderno los números.

L	M	M	J	V	S	D
					1 uno	2 dos
3 tres	4 cuatro	5 cinco	6 seis	7 siete	8 ocho	9 nueve
10 diez	11 once	12 doce	13 trece	14 catorce	15 quince	16 dieciséis
17 diecisiete	18 dieciocho	19 diecinueve	20 veinte	21 veintiuno	22 veintidós	23 veintitrés
24 veinticuatro	25 veinticinco	26 veintiséis	27 veintisiete	28 veintiocho	29 veintinueve	30 treinta
31 treinta y uno						

▸b Tu profesor dice el nombre de dos chicos. Mira las camisetas y forma el número como en el ejemplo.

PILAR — CAROLINA — LUCAS — ROSA

LUIS

JAIME — VÍCTOR — FEDERICA

Rosa y Jaime.

El 1 y el 4, ¡catorce!

▸c Piensa cuatro números y dicta los números a tus compañeros.

2 ▷ Las fiestas

▸a Observa el calendario, escucha y marca las fiestas españolas.

22

LOS DÍAS DE LA SEMANA

Lunes
Martes
Miércoles
Jueves
Viernes
Sábado
Domingo

ENERO	FEBRERO	MARZO
L M Mi J V S D	L M Mi J V S D	L M Mi J V S D
1 2 3 4 5	1 2	1 2 3 4
6 7 8 9 10 11 12	3 4 5 6 7 8 9	5 6 7 8 9 10 11
13 14 15 16 17 18 19	10 11 12 13 14 15 16	12 13 14 15 16 17 18
20 21 22 23 24 25 26	17 18 19 20 21 22 23	19 20 21 22 23 24 25
27 28 29 30 31	24 25 26 27 28	26 27 28 29 30 31

ABRIL	MAYO	JUNIO
L M Mi J V S D	L M Mi J V S D	L M Mi J V S D
1	1 2 3 4	1 2 3
2 3 4 5 6 7 8	7 8 9 10 11 12 13	4 5 6 7 8 9 10
9 10 11 12 13 14 15	14 15 16 17 18 19 20	11 12 13 14 15 16 17
16 17 18 19 20 21 22	21 22 23 24 25 26 27	18 19 20 21 22 23 24
23/30 24 25 26 27 28 29	28 29 30 31	25 26 27 28 29 30

JULIO	AGOSTO	SEPTIEMBRE
L M Mi J V S D	L M Mi J V S D	L M Mi J V S D
1	1 2 3 4 5	1 2
2 3 4 5 6 7 8	6 7 8 9 10 11 12	3 4 5 6 7 8 9
9 10 11 12 13 14 15	13 14 15 16 17 18 19	10 11 12 13 14 15 16
16 17 18 19 20 21 22	20 21 22 23 24 25 26	17 18 19 20 21 22 23
23/30 24/31 25 26 27 28 29	27 28 29 30 31	24 25 26 27 28 29 30

OCTUBRE	NOVIEMBRE	DICIEMBRE
L M Mi J V S D	L M Mi J V S D	L M Mi J V S D
1 2 3 4 5 6 7	1 2 3 4	1 2
8 9 10 11 12 13 14	5 6 7 8 9 10 11	3 4 5 6 7 8 9
15 16 17 18 19 20 21	12 13 14 15 16 17 18	10 11 12 13 14 15 16
22 23 24 25 26 27 28	19 20 21 22 23 24 25	17 18 19 20 21 22 23
29 30 31	26 27 28 29 30	24/31 25 26 27 28 29 30

▸b ¿Cuándo son las fiestas?

Día de la Hispanidad

Navidad

Fiesta del Trabajo

Fin de Año

Día del Padre

Reyes Magos

▸c Mira un calendario de este año y di las fiestas de tu país.

La fiesta de los Reyes Magos es el seis de enero, y este año es sábado.

De norte a sur

»a **Observa e indica las estaciones.**

»b **Di a qué estación corresponde cada foto.**

En el hemisferio norte		En el hemisferio sur	
Primavera	21/03 - 20/06	21/03 - 20/06	Otoño
Verano	21/06 - 20/09	21/06 - 20/09	Invierno
Otoño	21/09 - 20/12	21/09 - 20/12	Primavera
Invierno	21/12 - 20/03	21/12 - 20/03	Verano

1.
2.
3.
4.

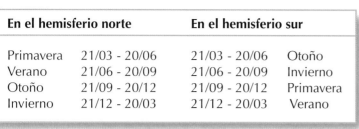

En España, la primavera empieza el veintiuno de marzo y termina el veinte de junio.

»c **Y en tu país, ¿en qué estación es cada fiesta?**

- La Navidad
- La Fiesta Nacional
- El Carnaval
- El día de tu cumpleaños

Tu cumpleaños

¿Cuántos años tienes?
»a **Escucha y lee.**

23

Sara: ¿Cuántos años tienes, Pedro?

Pedro: Tengo doce años.

Sara: ¿Y cuándo es tu cumpleaños?

Pedro: El quince de noviembre, ¿y tú?

Sara: Tengo trece años y mi "cumple" es el cuatro de marzo.

Santi: Yo también tengo trece y mi cumpleaños es el diez de agosto.

Alicia: Yo tengo doce. Mi cumpleaños es el veinte de diciembre.

»b **Completa en tu cuaderno las fichas de los amigos.**

○ Pedro tiene .... años y su
○ cumpleaños es el ....

○ Sara tiene .... años y su
○ cumpleaños es el ....

○ Santi tiene .... años y su
○ cumpleaños es el ....

○ Alicia tiene .... años y su
○ cumpleaños es el ....

HABLAR DE LA EDAD
• ¿Cuántos años tienes?
• Tengo doce años.

• ¿Cuándo es tu cumpleaños?
• El quince de marzo.

»c **Habla con tus compañeros.**

¿Cuándo es el cumpleaños de Ricardo?

El diecisiete de octubre.

Cumpleaños

Ricardo	Míriam	Miguel	Julia
17/10	28/03	29/09	14/01
Carolina	Julián	Marta	David
12/06	21/08	30/05	19/11

»d **En grupos de cuatro: habla con tus compañeros y completa esta ficha.**

Nombre	Edad	Cumpleaños

¡A divertirse!

1 ▸ JUEGA CON LOS OBJETOS

Las diferencias.

▸▸1. Observa las ilustraciones y encuentra nueve diferencias. Escríbelas en tu cuaderno.

A

B

2 ▸ JUEGA CON LOS MESES

Los meses del año.

▸▸1. Piensa en un mes y di dos letras. Tus compañeros adivinan el mes.

ENERO.

N - R.

¿Noviembre?

No.

¿Enero?

Sí.

3 ▸ JUEGA CON LOS SONIDOS

El acento.

▸▸1. Escucha y escribe las palabras en tu cuaderno. Escucha de nuevo y rodea la sílaba acentuada.

> En español la sílaba acentuada puede ser:
>
> la última: pro-fe-sor
> la penúltima: mo-chi-la
> la antepenúltima: nú-me-ro

▸▸2. Pronuncia las palabras. Escucha y comprueba.

- Perú
- Cuaderno
- Bolígrafo
- Rotulador
- Sacapuntas
- Lápices
- Abril
- Goma
- Canción

Acción

26 Hoy es el cumpleaños de Marina.
Escucha y contesta a las preguntas.

Te tiro de las orejas.

¡Felicidades!

Un beso.

Te deseo un feliz cumpleaños.

Te quiero.

a. ¿Cuántos años tiene Marina?
b. Indica la letra de cada regalo.
c. Completa la postal.
d. Elige un regalo y simula la situación.

Querida ....
Hoy ....
....
cumples .... años.

¡Felicidades!

a.

b.

c. christina aguilera

d.

e.

f.

Acción

Celebra un cumpleaños español.

Esto es lo que hacemos mis amigos españoles y yo el día de mi cumpleaños.

- Me tiran de la oreja.
- Me dan regalos.
- Vienen a mi fiesta.
- Soplo las velas.
- Me cantan una canción.

27 Escucha, aprende y canta.

Cumpleaños feliz,
cumpleaños feliz,
te deseamos todos
cumpleaños feliz.

¿Qué haces en tu país?

**Hoy es el cumpleaños de un compañero de tu clase.
Celébralo con tus compañeros.**

MAGACÍN CULTURAL

1. Las vacaciones y las fiestas.

http://www.forocultural.com

Extensis – F...op Plug-ins   Apple España   Amazon   eBay   Yahoo!   Noticias ▾

Ver mensajes sin respuesta

Foros de discusión

Los jóvenes hablan de su país

Hola, me llamo Pedro y vivo en Valencia.
Tengo clase de lunes a viernes. Los sábados y los domingos, descanso.
En mi clase, somos 25 alumnos.
El curso empieza el 15 de septiembre y termina el 30 de junio.
Estas son mis vacaciones:
El 12 de octubre: es la Fiesta Nacional (Día de la Hispanidad). Los Reyes y el Presidente del Gobierno presiden un desfile militar. Se celebra la llegada de Colón a América. En Zaragoza se celebra la Virgen del Pilar.
El 6 de diciembre: en España es el día de la Constitución. Don Juan Carlos I, rey de España, hace un discurso en el Parlamento.
Dos semanas en Navidad, del 23 de diciembre al 7 de enero: el 24 de diciembre es Nochebuena. Se cena en familia. El 31 de diciembre es Nochevieja. Los españoles comen doce uvas por la noche. El 6 de enero es el día de los Reyes Magos. Hay regalos para todos.
Una semana en Semana Santa (en abril): en muchas ciudades, especialmente en Andalucía, hay procesiones.
En Valencia, también tengo una semana de vacaciones en marzo, durante las Fallas: la fiesta de la ciudad. El 19 de marzo hay fuegos artificiales y fallas, esculturas de papel y cartón, que se queman por la noche en Valencia. En toda España es también el Día del Padre.
Y las vacaciones de verano: de finales de junio al 15 de septiembre, ¡más de dos meses!

Habla de tu país
▸▸ enviar

1. El Rey y el Presidente del Gobierno.

2. Procesiones.

3. Escultura de papel y cartón.

4. El Parlamento.

5. Adornos navideños.

6. Un padre y su hijo.

7. La Virgen del Pilar.

Las clases y las vacaciones

La Navidad

Nochebuena es el 24 de diciembre, las familias cenan juntas y cantan villancicos.

El 25 es Navidad, toda la familia se reúne y come turrones y polvorones. El 31 de diciembre es Nochevieja, todos a las 12 de la noche escuchan las campanadas del reloj de la Puerta del Sol (Madrid) y comen doce uvas. Después dicen "¡Feliz Año Nuevo!" y salen de fiesta con los amigos.

El 5 de enero entran en la ciudad los Reyes Magos. El día 6 dejan regalos en casa y comemos roscones.

1. Relaciona estas fiestas con las fotos. Di cuándo son y dónde se celebran.

a. El día de los Reyes Magos.
b. El Día del Padre.
c. Las Fallas.
d. La Semana Santa.
e. El Pilar.
f. 6 de diciembre.
g. Nochebuena.
h. Nochevieja.
i. El doce de octubre.

8. Reyes Magos.

2. ¿Verdadero o falso?

	V	F
a. El 6 de enero los niños reciben regalos.	☐	☐
b. La Fiesta Nacional es el 6 de enero.	☐	☐
c. El Pilar es en octubre.	☐	☐
d. Las Fallas se celebran en Valencia.	☐	☐

3. Localiza en el plano de la página 18 la Semana Santa más famosa, las Fallas y el Pilar.

12. Uvas de la suerte.

9. Puerta del Sol (Madrid).

10. Turrón.

11. Roscón de Reyes.

Interculturalidad

Completa la información.

	En España	En tu país
a. ¿Qué días hay clase?	....	....
b. ¿Qué días no hay clase?	....	....
c. ¿Cuándo empieza y termina el curso escolar?	....	....
d. ¿Cuánto duran las vacaciones de verano?	....	....
e. ¿Cuántos días de vacaciones (sin el verano) hay?	....	....
f. ¿Cuándo es el día de la Fiesta Nacional?	....	....
g. ¿Cuáles son las fiestas más importantes?	....	....

Comunicación

| Hablar del material escolar |

> ¿Qué tienes en tu mochila?

> Tengo un libro y dos cuadernos.

| Preguntar y decir la edad |

> ¿Cuántos años tienes?

> Tengo doce años.

| Preguntar y decir el día del cumpleaños |

> ¿Cuándo es tu cumpleaños?

> El 15 de mayo.

Gramática

| Interrogativos |

▷ ¿Cuántos? ¿Qué? ¿Cuándo?

| Los artículos definidos |

▷ el libro, la mochila, los cuadernos, las gomas

| Los artículos indefinidos |

▷ un estuche, una regla, unos libros, unas tijeras

| El género de los nombres |

▷ el libro, el cuaderno, el rotulador, el archivador, la regla, la mochila

| El plural |

▷ el libro, los libros; la goma, las gomas; el estuche, los estuches
   el rotulador, los rotuladores
   el lápiz, los lápices

| Presente de indicativo |

	TENER
(Yo)	tengo
(Tú)[1]	tienes
(Usted, él, ella)	tiene
(Nosotros/as)	tenemos
(Vosotros/as)	tenéis
(Ustedes, ellos, ellas)	tienen
[1] *(Vos)*	*tenés*

Vocabulario

▶ El material escolar

- el archivador
- el bolígrafo
- la calculadora
- el cuaderno
- el estuche
- la goma
- el lápiz
- el libro
- la mochila
- el pegamento
- la regla
- el rotulador
- el sacapuntas
- las tijeras

▶ Los números hasta 31

- uno
- dos
- tres
- cuatro
- cinco
- seis
- siete
- ocho
- nueve
- diez
- once
- doce
- trece
- catorce
- quince
- dieciséis
- diecisiete
- dieciocho
- diecinueve
- veinte
- veintiuno
- veintidós
- veintitrés
- veinticuatro
- veinticinco
- veintiséis
- veintisiete
- veintiocho
- veintinueve
- treinta
- treinta y uno

▶ Los meses del año

- enero
- febrero
- marzo
- abril
- mayo
- junio
- julio
- agosto
- septiembre
- octubre
- noviembre
- diciembre

▶ Los días de la semana

- lunes
- martes
- miércoles
- jueves
- viernes
- sábado
- domingo

▶ Las estaciones del año

- la primavera
- el verano
- el otoño
- el invierno

▶ Otras palabras

- el calendario
- la canción
- el cumpleaños
- la edad
- ¡Felicidades!
- ¡Feliz cumpleaños!
- la fiesta
- Muchas gracias
- Por favor
- la postal
- el regalo
- las vacaciones
- la vela
- el videojuego

Evalúa tus conocimientos.

  COMPRENDO UN TEXTO ESCRITO: UNA CHICA SE PRESENTA.

- mal
- regular
- bien
- muy bien

Completa el texto con las palabras de la lista.

sello

CD	cumpleaños	me llamo	veintiséis	octubre
	Italia	vivo	amigas	regalos	videojuego

Hola, ... Consuelo. Soy española y ..... en Cuenca. En mi clase tengo tres ..... : Marta, Sonia y Belén. Hoy sábado ..... de ..... es mi ..... . ¡Tengo trece años! Mis ..... de cumpleaños son un ..... para el ordenador, un ..... de Christina Aguilera y doce sellos de Argentina, ... y Alemania para mi colección.

2. (28) **COMPRENDO UN TEXTO ORAL: UNA AMIGA DESCRIBE SUS OBJETOS.**

- mal
- regular
- bien
- muy bien

Escucha e indica las ilustraciones.

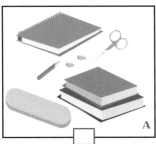
A

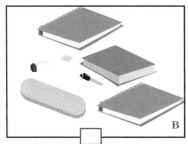
B

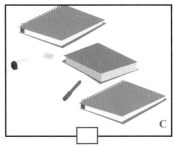
C

3. **ESCRIBO UN TEXTO: UNA TARJETA DE FELICITACIÓN.**

- mal
- regular
- bien
- muy bien

Escribe a Consuelo una tarjeta de felicitación por su cumpleaños.

4. **HABLO: PREGUNTO Y DOY DATOS PERSONALES.**

- mal
- regular
- bien
- muy bien

Imagina una conversación entre Marina y José.

Nombre: José
Apellidos: Sánchez Roble
Ciudad: Sevilla
Edad: 12
Cumpleaños: 28/08
Ciberamigos: FRANCIA, BÉLGICA, SUIZA.

Nombre: Marina
Apellidos: López Ruiz
Ciudad: Barcelona
Edad: 13
Cumpleaños: 30/11
Ciberamigos: GRECIA, ALEMANA, ITALIA.

Módulo 3

Acción

HAZ UNA ENCUESTA

Competencia pragmática

▶ **Eres capaz de…**

- ›› **Presentar las actividades de clase.**
- ›› **Preguntar y decir la hora.**
- ›› **Hablar de las asignaturas.**
- ›› **Explicar tu horario de clases.**

Competencias lingüísticas

Competencia gramatical

▶ **Aprendes…**

- ›› **El presente de indicativo: verbos en** –ar, –er, –ir.
- ›› **El presente de indicativo: verbo** hacer.
- ›› **Los interrogativos:** qué, cuánto **+ verbo,** cuántos / cuántas **+ nombre en plural,** cuál es / cuáles son.
- ›› **La frecuencia:** los lunes, los martes…

Competencia léxica

▶ **Conoces…**

- ›› **Las actividades de clase.**
- ›› **Las asignaturas.**

Competencia fonética

▶ **Pronuncias y escribes…**

- ›› **Las palabras con el acento en la penúltima sílaba.**

Conocimiento sociocultural

▶ **Descubres…**

- ›› **El sistema educativo español**
- ›› **Los horarios escolares.**

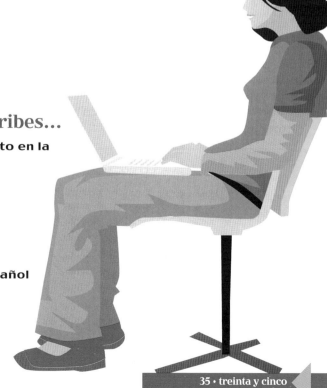

5 lección Los deberes

1 ▶ ¿Qué deberes **tenemos?**

Sara y Santi hacen los deberes.
▶a **Escucha y lee.**

Sara: ¿Qué deberes tenemos para mañana?
Santi: Para la clase de Inglés... leer el texto de la página 30, describir la foto, repasar los verbos de la lección y hacer el ejercicio 2 de la página 31.
Sara: Vale.
Santi: Ah... y escuchar la conversación de la pista 13 del CD. Para la clase de Literatura, aprender la poesía de García Lorca y responder a la pregunta 9.
Sara: Y tenemos un trabajo de Geografía, ¿no?
Santi: Sí, dibujar el mapa de España y escribir el nombre de los ríos.

▶b **Completa la agenda de Sara con los deberes de hoy.**

2 ▶ Trece **verbos**

▶a **¿Dónde están? Localiza en la cadena todos los verbos en infinitivo del diálogo.**

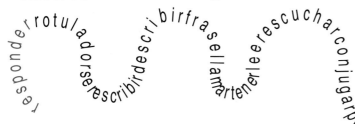

▶b **Ahora, observa y clasifica los verbos.**

En español, hay tres grupos de verbos.

- Verbos en ⬚ -ar : *conjugar,*
- Verbos en ⬚ : ⬚
- Verbos en ⬚ : ⬚

▶c **Con tus compañeros, busca en el módulo 1 (páginas 25 y 26) y en el módulo 2 (páginas 37 y 38) más verbos en infinitivo.**

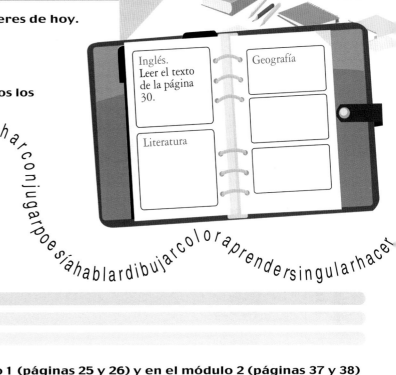

Inglés.
Leer el texto de la página 30.

Geografía

Literatura

3 ▶ Hacemos **ejercicios**

▶a **Observa los verbos en presente de indicativo.**

gramática

		Regulares		Irregular
	DIBUJAR	**RESPONDER**	**ESCRIBIR**	**HACER**
(Yo)	dibujo	respondo	escribo	hago
(Tú)[1]	dibujas	respondes	escribes	haces
(Usted, él, ella)	dibuja	responde	escribe	hace
(Nosotros/as)	dibujamos	respondemos	escribimos	hacemos
(Vosotros/as)	dibujáis	respondéis	escribís	hacéis
(Ustedes, ellos, ellas)	dibujan	responden	escriben	hacen
*(Vos)[1]	*dibujás*	*respondés*	*escribís*	*hacés*

▸▸**b Relaciona estos verbos con las situaciones.**

hablan, estudias, responde, leéis, escribe, viven, hablas, estudia, lees, respondes, escribís, vives, habláis, estudian, leen, escribes, respondéis, vivís, habla, estudiáis, lee, responden, escriben, vive

Tú.

1.

Usted.

2.

Vosotros.

3.

Ustedes.

4.

Sara chatea con su amiga Susana.

▸▸**c Conjuga los verbos en presente.**

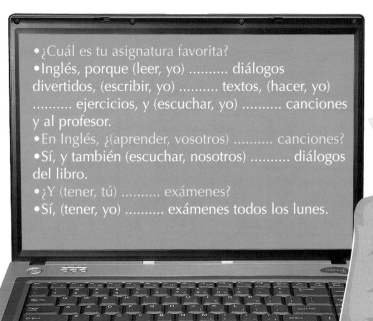

•¿Cuál es tu asignatura favorita?
•Inglés, porque (leer, yo) .... diálogos divertidos, (escribir, yo) .... textos, (hacer, yo) .... ejercicios, y (escuchar, yo) .... canciones y al profesor.
•En Inglés, ¿(aprender, vosotros) .... canciones?
•Sí, y también (escuchar, nosotros) .... diálogos del libro.
•¿Y (tener, tú) .... exámenes?
•Sí, (tener, yo) .... exámenes todos los lunes.

▶ Juega con tus compañeros

▸▸**a Escribe en tres trozos de papel tres actividades de clase y una persona (yo, tú, él, nosotros, vosotros, ellos). Después, tu profesor elige un trozo de papel y la clase conjuga el verbo.**

Describir la foto.
Yo

Escuchar al profesor.
Él

Escuchar al profesor.
Él.

gramática

Hacer el ejercicio 2.
Nosotros

Escucha al profesor.

CONTRACCIÓN DEL ARTÍCULO
a + el > al
de + el > del

6 lección

Tus clases

1 ▶ ¿Qué hora es?

» a **Escucha e indica la ilustración.**

a. ☐ b. ☐ c. ☐ d. ☐ e. ☐

» b **Observa.**

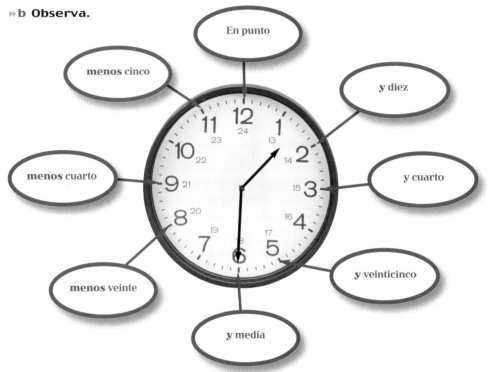

En punto

menos cinco

menos cuarto

menos veinte

menos media... y media

y diez

y cuarto

y veinticinco

PREGUNTAR Y DECIR LA HORA

• ¿Qué hora es?

• Son las diez y diez.

👁 Es la una.

2 ▶ Son las...

» a **Di una hora. Tus compañeros indican el reloj correspondiente.**

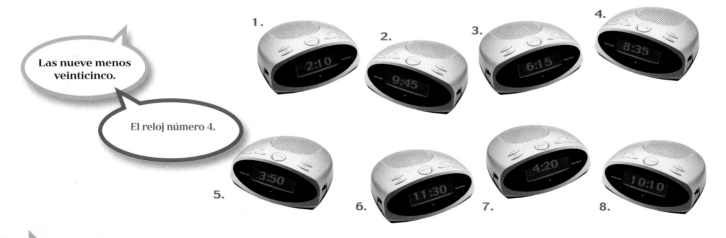

Las nueve menos veinticinco.

El reloj número 4.

1. 2:10
2. 9:45
3. 6:15
4. 8:35
5. 3:50
6. 11:30
7. 4:20
8. 10:10

Las asignaturas

»a **Estas son las asignaturas de los institutos españoles. Identifícalas.**

a. ☐

b. ☐

c. ☐

d. ☐

e. ☐

f. ☐

1. Las Ciencias de la Naturaleza.
2. Las Ciencias Sociales, Geografía e Historia.
3. La Educación Física.
4. La Educación para la Ciudadanía.
5. La Educación Plástica y Visual.
6. La Lengua Castellana y la Literatura.
7. La Lengua Extranjera.
8. Las Matemáticas.
9. La Música.
10. La Religión o Actividades de estudio.
11. La Tecnología.

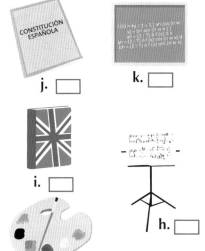

j. ☐

k. ☐

i. ☐

h. ☐

g. ☐

El horario de clase

Pedro, Sara, Santi y Alicia están en primero de ESO.
»a **Observa el horario y contesta a las preguntas.**

	LUNES	MARTES	MIÉRCOLES	JUEVES	VIERNES
8:30-9:20	Educación Física	Plástica	Matemáticas	Inglés	Educación Física
9:25-10:15	Inglés	Matemáticas	Francés	Educación para la Ciudadanía	Inglés
10:20-11:10	Geografía e Historia	Religión o Estudio	Ciencias de la Naturaleza	Ciencias de la Naturaleza	Matemáticas
R	E	C	R	E	O
11:30-12:20	Lengua y Literatura	Ciencias de la Naturaleza	Lengua y Literatura	Geografía e Historia	Lengua y Literatura
12:25-13:15	Francés	Música	Plástica	Lengua y Literatura	Geografía e Historia
13:20-14:10	Matemáticas	Lengua y Literatura	Tecnología	Tecnología	Música

1. ¿Cuándo tienen clase y a qué hora?
2. ¿Cuánto dura cada clase?
3. ¿Cuánto dura el recreo?
4. ¿Qué días tienen clases de Lengua y Literatura?
5. ¿Cuántos idiomas estudian? ¿Cuántas clases cada uno?
6. ¿Qué días y a qué hora tienen Tecnología?
7. ¿Qué asignaturas estudian los lunes / los martes?
8. ¿Qué días tienen Matemáticas? ¿A qué hora?

Un horario a tu gusto

»a **Confecciona tu horario ideal.**

»b **Tu compañero te pregunta y hace tu horario.**

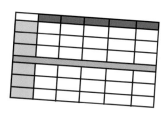

1 ▶ JUEGA CON LAS ASIGNATURAS

JUEGO DE LÓGICA: seis profesores de un instituto.

▸▸1. Lee las frases y descubre el nombre, la asignatura y una costumbre de cada uno.

1. Marie es la profesora de Francés.

2. El profesor de Educación Física hace mucho deporte.

3. La profesora de Geografía e Historia no se llama Cristina.

4. Cristina es la profesora de Ciencias Naturales.

5. Marta come en el instituto a las tres de la tarde.

6. La profesora de Francés lee el periódico a las seis de la mañana.

7. Roberto es el profesor de Educación Física.

8. Antonio escribe poesías.

9. El profesor de Tecnología escribe poesías por la tarde.

10. El profesor de Lengua y Literatura escucha la radio a las doce de la noche.

11. Cristina escucha música clásica.

Antonio   Marie   Carlos   Marta   Cristina   Roberto

Nombre del profesor	Asignatura	Costumbre

2 ▶ JUEGA CON LOS SONIDOS

Palabras acentuadas en la penúltima sílaba.

▸▸1. Observa y subraya la sílaba acentuada. Luego, escucha y repite las palabras.

- amiga
- examen
- árbol
- cuaderno
- escuchan
- lápiz
- boli
- escribes
- fácil
- cantante
- cantamos
- Héctor

Tienen el acento en la penúltima sílaba las palabras que...

- terminan en vocal, n o s.
- terminan en consonante, excepto n y s, y llevan tilde.

▸▸2. Escucha y escribe las palabras.

Acción

1. Escucha la encuesta y señala las actividades preferidas de cada alumno.

33

	Sandra	Pablo	Elena	Carlos
Conjugar verbos				
Hablar con el profesor				
Aprender canciones				
Describir fotos				
Escuchar diálogos	X			
Escribir textos				
Leer textos				
Hacer ejercicios				

2. Ahora copia los resultados en tu cuaderno y escribe el nombre de las actividades.

RESULTADO DE LA ENCUESTA

3. Explica los resultados.

De más a menos, las actividades preferidas de la clase son...

En grupos de cinco, con tus compañeros...

1. Contesta a las preguntas de la encuesta.
2. Elabora un gráfico con los resultados.
3. Explica los resultados a la clase.
4. Analiza los resultados de todas las encuestas: ¿cuáles son las tres actividades preferidas de la clase?

MAGACÍN CULTURAL

http://www.forocultural.com

Q- Google

Extensis – F...op Plug-ins   Apple España   Amazon   eBay   Yahoo!   Noticias ▾   Ver mensajes sin respuesta

Foros de discusión

Los jóvenes hablan de su país

¡Hola! Me llamo Lucas y vivo en Toledo. Tengo doce años y estoy en primero de ESO (Educación Secundaria Obligatoria) en el Instituto El Greco.

En España, hasta los seis años, los niños españoles vamos a clase de Educación Infantil. De los seis a los doce años vamos a un colegio de Educación Primaria. Luego, durante cuatro años estudiamos en un instituto de ESO y de los dieciséis a los dieciocho años, en un instituto de Bachillerato.

La escuela es obligatoria hasta los 16 años (cuarto curso de ESO). Mis asignaturas favoritas del instituto son los idiomas (estudio Inglés y Francés) y la Educación Física. Mis deportes favoritos son el tenis y el baloncesto.

Soy un estudiante medio: normalmente apruebo todas las asignaturas en junio con aprobados y notables. Si suspendo una asignatura, tengo un examen en septiembre.

Habla de tu país
⸕ enviar

1. Plan de estudio de ESO.

1. Observa el sistema educativo, lee lo que dice Lucas y explica con tus palabras qué es la ESO.

ÁREAS y MATERIAS	Primer ciclo		Segundo ciclo	
	Curso primero	Curso segundo	Curso tercero	Curso cuarto
Comunes	• Ciencias de la Naturaleza. • Ciencias Sociales, Geografía e Historia. • Educación Física. • Educación Plástica y Visual. • Lengua Castellana y Literatura. • Lengua Extranjera. • Matemáticas. • Música. • Tecnología. • Religión o Actividades de estudio (a elegir)			• Ciencias de la Naturaleza. • Educación Plástica y Visual. • Lengua Castellana y Literatura. • Música. • Tecnología.
Optativas	Segunda Lengua Extranjera.			
	Curso de refuerzo para alumnos suspendidos en Lengua o Matemáticas.		• Iniciación Profesional • Cultura Clásica	• Iniciación Profesional • Cultura Clásica • Ética

2. Mira el plan de estudios, lee las asignaturas favoritas de Lucas y contesta con verdadero (V) o falso (F).

		V	F
a.	Lucas este año estudia Educación Profesional, Cultura Clásica y Música.	☐	☐
b.	En los dos primeros cursos de ESO puedes elegir otro idioma.	☐	☐
c.	Es obligatorio estudiar Iniciación Profesional.	☐	☐
d.	Lucas elige como optativa otro idioma, Francés.	☐	☐
e.	Las Matemáticas son optativas.	☐	☐
f.	La clase de Religión es obligatoria.	☐	☐

2. Las notas.

Sistema de notas

0 - 4	Insuficiente	**Suspendido**
5	Suficiente	**Aprobado**
6	Bien	
7 - 8	Notable	
9 - 10	Sobresaliente	

1. Estas son las notas de algunos estudiantes del instituto de Lucas. ¿Están aprobados o suspendidos?

a. Belén Jiménez Garza. Lengua y Literatura: 2,5

b. Víctor García Álvarez. Matemáticas: 4,5

c. Jesús Hernández Gil. Educación Física: 8,9

d. Asunción Galindo Robledo. Tecnología: 7

Interculturalidad

Describe el sistema educativo de tu país.

a. ¿La escuela también es obligatoria hasta los dieciséis años?

b. ¿En qué curso estás?

c. ¿Cómo es el sistema de notas?

d. En tu país, ¿los exámenes se puntúan de 0 a 10?

e. ¿Qué nota se necesita para aprobar?

f. ¿Hay exámenes para recuperar después del verano si estás suspendido?

g. ¿Qué asignaturas tienes? ¿Son las mismas que las de Lucas?

Comunicación

Preguntar y decir la hora

¿Qué hora es?

Son las tres y media.

Presentar las actividades de clase

Aprender canciones.
Describir fotos.
Escribir textos.
Escuchar diálogos.
Hablar con el profesor.
Hacer ejercicios, exámenes...
Recitar poesías.

Hablar de las asignaturas

El Francés es mi asignatura favorita.

Los lunes tengo Matemáticas.

Hablar de la actividad de clase favorita

¿Cuál es tu actividad de clase favorita?

Aprender poesías.

Leer textos.

Escuchar diálogos.

Interrogativos

¿**Qué** asignaturas estudias?
¿**Cuánto** dura el recreo?
¿**Cuántos** idiomas estudias?
¿**Cuántas** clases tienes?
¿**Cuál** es tu asignatura favorita?
¿**Cuáles** son tus actividades de clase favoritas?

Expresar frecuencia

Los lunes tengo Historia.

Gramática

Presente de indicativo

	Regulares			Irregular
	-ar	**-er**	**-ir**	
	DIBUJAR	**RESPONDER**	**ESCRIBIR**	**HACER**
(Yo)	dibujo	respondo	escribo	hago
(Tú)[1]	dibujas	respondes	escribes	haces
(Usted, él, ella)	dibuja	responde	escribe	hace
(Nosotros/as)	dibujamos	respondemos	escribimos	hacemos
(Vosotros/as)	dibujáis	respondéis	escribís	hacéis
(Ustedes, ellos, ellas)	dibujan	responden	escriben	hacen
[1](Vos)	dibujás	respondés	escribís	hacés

Vocabulario

▶ Las asignaturas

- las Ciencias
- la Educación Física (el deporte)
- la Educación para la Ciudadanía
- la Educación Plástica (el dibujo)

- el Francés
- la Geografía
- la Historia
- el Inglés

- la Lengua y la Literatura
- las Matemáticas
- la Música
- la Tecnología

▶ El instituto y el trabajo escolar

- mi asignatura favorita
- la clase
- el colegio
- el compañero, la compañera
- los deberes
- el diálogo
- el ejercicio
- la escuela

- el examen
- el horario
- la lección
- la página
- la poesía
- el recreo
- el texto
- el trabajo de Geografía

▶ Verbos

- aprender
- conjugar
- describir
- dibujar
- escribir
- escuchar
- hablar
- hacer
- leer
- repasar
- responder

▶ Otras palabras

- favorito, favorita

Evalúa tus conocimientos.

1. COMPRENDO UN TEXTO ESCRITO: LAS ACTIVIDADES DE CLASE.

a. Relaciona las dos partes de cada expresión.

1. Aprender   **a.** los verbos
2. Repasar   **b.** ejercicios
3. Escuchar   **c.** canciones en español
4. Dibujar   **d.** con el profesor
5. Hacer   **e.** un mapa
6. Hablar   **f.** poesías

b. Completa las frases con el nombre de la asignatura.

a. En .... Emilio repasa el verbo *to be*.
b. En .... aprendemos: $(a + b)^2 = a^2 + b^2 + 2ab$.
c. En .... aprendes nombres como *le collège, les camarades, le tableau, le cahier…*
d. En .... estudian la vida de los reyes de España.
e. En .... lees textos de Miguel de Cervantes.
f. En .... utilizo una goma, lápices y rotuladores de colores.

2. ㉞ 🎧 COMPRENDO UN TEXTO ORAL: DESCRIBIR HORARIOS.

Escucha las preguntas y marca la letra de cada respuesta.

a. ☐ La Historia.   **b.** ☐ Veintiocho.
c. ☐ Leer textos y aprender poesías.   **d.** ☐ Matemáticas, Ciencias y Educación Plástica.
e. ☐ Los martes y los viernes.   **f.** ☐ Tres.
g. ☐ Veinte minutos.   **h.** ☐ A las diez menos veinte.

3. 📝 ESCRIBO UN TEXTO: MIS ACTIVIDADES FAVORITAS.

a. Conjuga en presente los verbos de la actividad 1a.

1. (yo) .....   **4.** (yo) .....
2. (ellos) .....   **5.** (tú) .....
3. (nosotros) .....   **6.** (nosotros) .....

b. Contesta: ¿Qué haces en la clase de español? ¿Cuáles son tus dos actividades favoritas?

4. 💬 HABLO DE: LOS DEBERES.

Termina la conversación entre Hugo y María.
Indica la asignatura y el trabajo.

¿Qué deberes tenemos para mañana?

Inglés.
Pista 38,
canción n.º 3.

Geografía
Mapa de España,
ríos y montañas.

Literatura
Página 31,
ejercicio 8.

Módulo  4

Describe tu vida cotidiana

▶ Eres capaz de...

» **Presentar las actividades cotidianas.**
» **Decir los colores.**
» **Expresar gustos.**
» **Dar la opinión:** para mí, yo creo que...
» **Expresar acuerdo y desacuerdo.**

▶ Aprendes...

» **Los interrogativos:** a qué **y** de qué.
» **El presente de indicativo de:**
  – **verbos con pronombres:** levantarse, ducharse...
  – **verbo irregular:** salir.
» **Los colores: género y número.**
» **El verbo** gustar **y los pronombres personales.**

▶ Conoces...

» **Las actividades cotidianas.**
» **Los colores.**

▶ Pronuncias y escribes...

» **Las palabras con el acento en la última sílaba.**

▶ Descubres...

» **Los horarios cotidianos españoles.**
» **Cantantes famosos.**

Un día normal

1 ▶ La rutina diaria

Pedro habla en el chat con su nuevo amigo de lo que hacen durante el día.
➤a **Escucha y completa el texto en tu cuaderno con las expresiones de la lista.**

a. me ducho
b. Entro
c. me levanto
d. me voy a la cama
e. desayuno
f. Tomo
g. salgo
h. hago los deberes
i. llego
j. Ceno
k. como
l. voy

Todos los días .... a las siete, ..., ... y .... de casa a las ocho. Voy al instituto en bici y .... a las ocho y veinte. .... en clase a las ocho y media. Regreso a casa y .... a las tres. .... la merienda a las cinco y media y .... a las seis. Luego, ... al parque con mi perro. .... a las nueve y media y .... a las diez y cuarto de la noche.

➤b **Ordena las viñetas e indica el verbo correspondiente.**

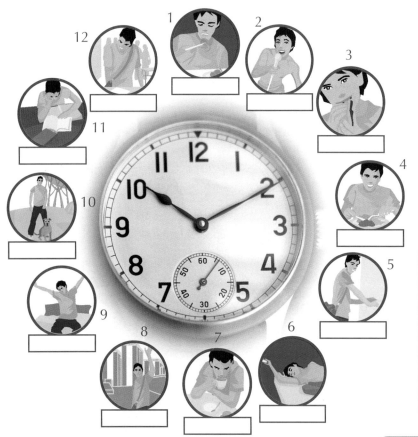

a. se levanta
b. se ducha
c. desayuna
d. sale de casa
e. entra en clase
f. sale del instituto y se va a casa
g. come
h. toma la merienda
i. hace los deberes
j. va al parque con el perro
k. cena
l. se va a la cama

➤c **Observa.**

gramática

	Regular	Irregular
	LEVANTARSE	**SALIR**
(Yo)	me levanto	salgo
(Tú)[1]	te levantas	sales
(Usted, él, ella)	se levanta	sale
(Nosotros/as)	nos levantamos	salimos
(Vosotros/as)	os levantáis	salís
(Ustedes, ellos, ellas)	se levantan	salen
[1](Vos)	*te levantás*	*salís*

2 ▶ Y tú, ¿qué haces normalmente?

➤a **Responde a las preguntas.**

¿A qué hora te levantas?
¿A qué hora sales de casa?
¿A qué hora llegas al instituto?
¿A qué hora comes?
¿A qué hora haces los deberes?
¿A qué hora cenas?
¿A qué hora te vas a la cama?

Mis amigos de clase

»a **Escucha y localiza a cada persona. Escribe en tu cuaderno qué le gusta a cada uno.**

36

Estos son mis compañeros del instituto. A Eduardo le gusta el Inglés. A Elena le gusta la Educación Física. A Alicia le gusta la Geografía y la Historia. A Sara le gusta la Música, toca la guitarra. A Verónica le gustan las Ciencias de la Naturaleza. A Elvira le gusta la Tecnología. A Fernando le gusta la Lengua y Literatura. A Marta le gusta la Educación Plástica. A Sergio le gusta el Francés. Ah... y a mí me gustan las Matemáticas, es mi asignatura favorita.

Y a ti, ¿qué te gusta?

»a **Observa.**

gramática

EXPRESAR GUSTOS

(A mí)	me		dibujar, escribir, leer
(A ti)¹	te	gusta	el deporte
(A usted, él, ella)	le		la Historia
(A nosotros/as)	nos		
(A vosotros/as)	os	gustan	las Matemáticas
(A ustedes, ellos, ellas)	les		las Ciencias

¹(A vos) te *gusta*

ACUERDO
• Me gusta el deporte. • A mí también.
• No me gusta el deporte. • A mí tampoco.

DESACUERDO
• Me gusta el deporte. • A mí no.
• No me gusta el deporte. • A mí sí

»b **Escribe ocho frases con un elemento de cada columna.**

A María	les gusta	las Matemáticas.
A nosotros	no nos gusta	ir al instituto en bici?
¿A ti	le gustan	las Ciencias?
A mis amigos	os gusta	escuchar canciones.
¿A vosotros	te gustan	el Inglés?
A mí	me gustan	hacer los deberes?
	le gusta	
	no les gustan	

»c **Compara los gustos de Manuel y Lorena.**

☺ Leer, el color verde, el color azul, cantar, la Historia, el Francés, ir al instituto en bici, las Ciencias.
☹ Las Matemáticas, dibujar, los exámenes, la Tecnología, la Geografía.

☺ Las Matemáticas, leer, dibujar, el color azul, cantar, el Francés.
☹ Los exámenes, el color verde, la Historia, la Geografía, la Tecnología, ir al instituto en bici, las Ciencias.

A Manuel le gustan las Matemáticas. A Lorena no.

»d **Y a ti, ¿qué asignaturas te gustan y cuáles no?**

8 lección ¿De qué color es?

1 ▶ El mapa de España

Sara y Santi hacen el trabajo de Geografía.
»**a Escucha y lee la conversación.**

37

Sara:	¿Dibujamos el mapa de España juntos?
Santi:	Vale.
Sara:	¿De qué color dibujamos los ríos?
Santi:	De azul, y escribimos los nombres de las ciudades en negro, y Madrid, la capital, en rojo.
Sara:	¿Y los puntos?
Santi:	¿Qué puntos?
Sara:	¡Los puntos de las ciudades!
Santi:	Ah... Pues... en violeta. Las montañas... marrón, y las playas, amarillo.
Sara:	¡Qué difícil!
Santi:	No, mira...
Sara:	Ah sí... ¡Qué bonito!

»**b Lee el diálogo y escribe los colores que faltan.**

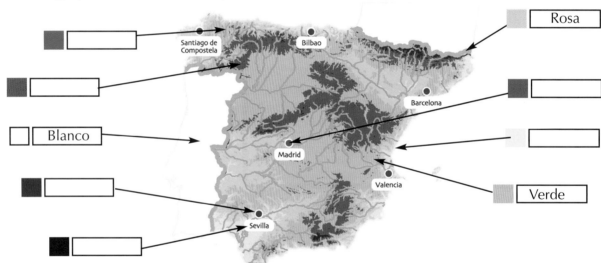

2 ▶ De colores

»**a Escucha la canción y pon en orden los colores.**

38

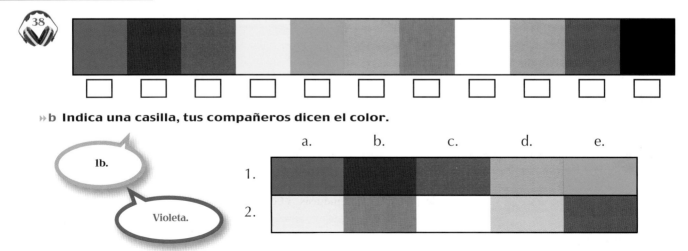

»**b Indica una casilla, tus compañeros dicen el color.**

1b.

Violeta.

Las banderas **hispanas**

▸▸a **Observa la terminación de los colores.**

gramática

MASCULINO	FEMENINO
Terminados en -o	**-o > -a**
negro, blanco, amarillo, rojo	negra, blanca, amarilla, roja
verde azul marrón rosa naranja violeta	

gramática

SINGULAR	PLURAL
Terminados en vocal	**+ -s**
blanco, rosa, amarilla, verde	blancos, rosas, amarillas, verdes
Terminados en consonante	**+ -es**
gris, azul marrón	grises, azules marrones (sin tilde)

▸▸b **Observa las banderas y di los colores.**

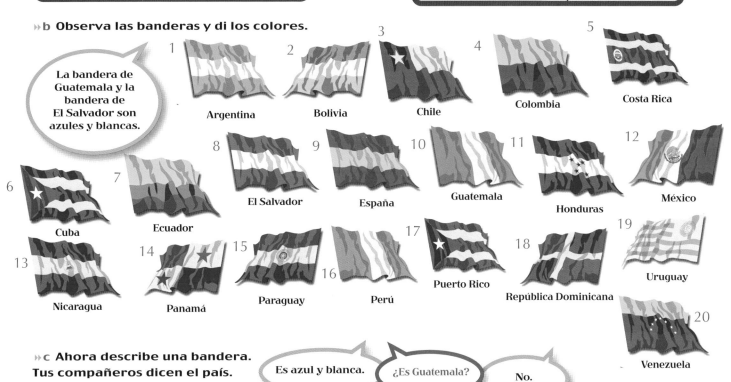

La bandera de Guatemala y la bandera de El Salvador son azules y blancas.

1 Argentina
2 Bolivia
3 Chile
4 Colombia
5 Costa Rica
6 Cuba
7 Ecuador
8 El Salvador
9 España
10 Guatemala
11 Honduras
12 México
13 Nicaragua
14 Panamá
15 Paraguay
16 Perú
17 Puerto Rico
18 República Dominicana
19 Uruguay
20 Venezuela

▸▸c **Ahora describe una bandera. Tus compañeros dicen el país.**

Es azul y blanca.   ¿Es Guatemala?   No.

El mundo es **de colores**

▸▸a **Elige un color para cada cosa y contesta a las preguntas.**

1. ¿De qué color es tu país?
2. ¿Y la tarde?
3. ¿Y los pueblos?
4. ¿Cuál es tu color favorito?
5. ¿De qué color es la mañana?
6. ¿De qué color son las ciudades?
7. ¿De qué color es tu instituto?

▸▸b **Habla ahora con tus compañeros. ¿Estáis de acuerdo en todo?**

Motivos
Por la bandera.
Por los ríos.
Por las montañas.
Por el sol.
Por la ropa.
Por...

Para mí, la tarde es amarilla por el sol.
Yo creo que no, que es naranja.
Para mí también.

OPINAR
• Para mí...
• Yo creo que no, que es.../ Yo también.

¡A divertirse!

1 ▶ JUEGA CON LOS COLORES Y LOS OBJETOS

¿Quién es?

▸1. Observa la ilustración. Escucha las frases y localiza a cada persona.

a. ☐ c. ☐ d. ☐ f. ☐ h. ☐ b. ☐ e. ☐ i. ☐ g. ☐

I am
You are
...

Adivinanzas.

▸2. Con tu compañero, escribe cuatro frases.

Tiene una mochila negra.   La letra f.

2 ▶ JUEGA CON EL VERBO GUSTAR

Canción de Manu Chao.

▸1. Escucha la canción y escribe en tu cuaderno qué le gusta a Manu Chao.

¿Puedes inventar tú una canción?

▸2. Transforma la canción de Manu Chao con tus gustos.

3 ▶ JUEGA CON LOS SONIDOS

Palabras acentuadas en la última sílaba.

▸1. Escucha, marca la sílaba acentuada y observa. Luego, escucha de nuevo y repite las palabras.

- español
- inglés
- papá
- actividad
- alemán
- Perú
- aquí
- rotulador
- francés
- bebé
- reloj
- marrón

Tienen el acento en la última sílaba las palabras que...

- terminan en consonante, excepto n y s.
- terminan en vocal, -n o -s, y llevan tilde.

▸2. Escucha y escribe las palabras.

DESCRIBE TU VIDA COTIDIANA.

1. Pablo nos cuenta qué hace un día normal.
Escucha a Pablo y ordena el texto.

☐ Voy al instituto en bici.
☐ Las clases son a las ocho.
☐ Todas las mañanas me levanto a las siete menos cuarto.
☐ Salgo a las dos y regreso a casa a comer.
☐ Por las tardes no tengo clase.
☐ Me voy a la cama a las diez.
☐ Me ducho y desayuno.
☐ Ceno a las nueve. Luego, leo cómics o mando SMS a los compañeros del instituto.
☐ Hola, me llamo Pablo. Tengo 12 años y mi cumpleaños es en mayo.
☐ Hago los deberes. Estudio durante una hora. Luego, voy a casa de mi amigo Julio. Jugamos con los videojuegos, escuchamos música, hablamos y navegamos por Internet, nos gusta chatear.

2. Clasifica las actividades de Pablo.

Actividades cotidianas	Actividades de tiempo libre
levantarse	

3. ¿Cuántos puntos en común tienes con Pablo?

> Se levanta a las siete menos cuarto. Yo también.

Un diario abierto:

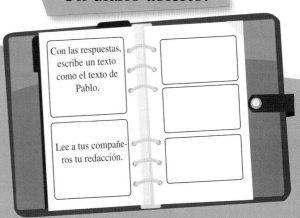

Con las respuestas, escribe un texto como el texto de Pablo.

Lee a tus compañeros tu redacción.

Describe en tu diario un día de tu vida.

Responde a las preguntas:
• ¿En qué mes es tu cumpleaños?
• ¿A qué hora te levantas?
• ¿A qué hora llegas al instituto?
• ¿A qué hora comes?
• ¿A qué hora tomas la merienda?
• ¿A qué hora te vas a la cama?
• ¿Cómo vas al instituto? (andando, en bici, en coche)
• ¿Qué te gusta en el instituto? (el recreo, los amigos, el deporte...)
• ¿Qué no te gusta? (los exámenes, los deberes...)

MAGACÍN CULTURAL

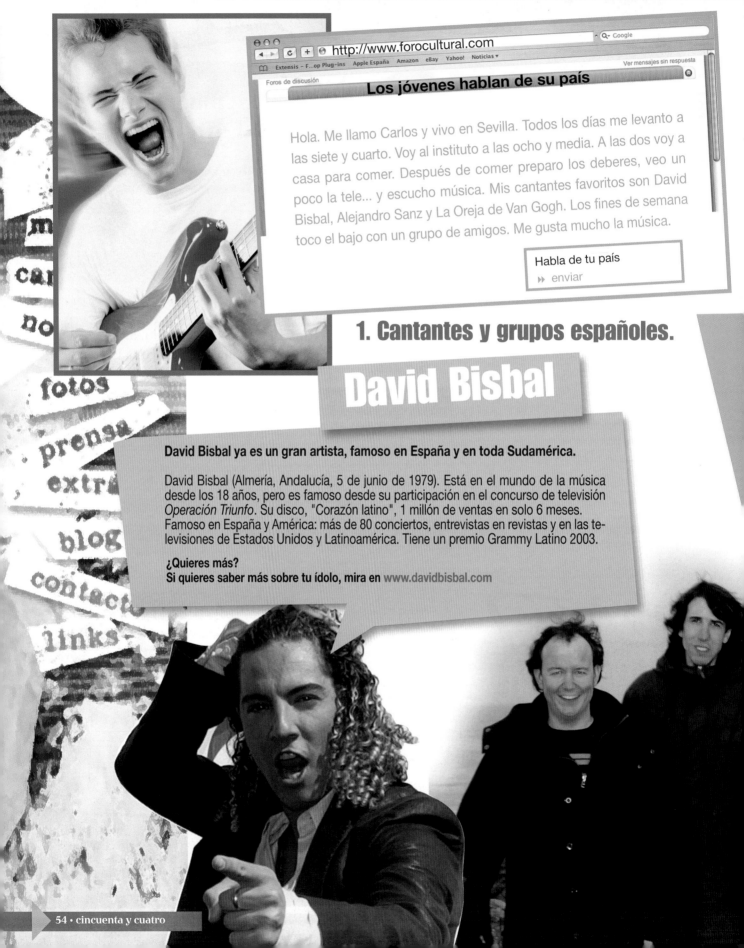

http://www.forocultural.com

Extensis – F...op Plug-ins   Apple España   Amazon   eBay   Yahoo!   Noticias ▾

Ver mensajes sin respuesta

Foros de discusión

Los jóvenes hablan de su país

Hola. Me llamo Carlos y vivo en Sevilla. Todos los días me levanto a las siete y cuarto. Voy al instituto a las ocho y media. A las dos voy a casa para comer. Después de comer preparo los deberes, veo un poco la tele... y escucho música. Mis cantantes favoritos son David Bisbal, Alejandro Sanz y La Oreja de Van Gogh. Los fines de semana toco el bajo con un grupo de amigos. Me gusta mucho la música.

Habla de tu país
»» enviar

1. Cantantes y grupos españoles.

David Bisbal

David Bisbal ya es un gran artista, famoso en España y en toda Sudamérica.

David Bisbal (Almería, Andalucía, 5 de junio de 1979). Está en el mundo de la música desde los 18 años, pero es famoso desde su participación en el concurso de televisión *Operación Triunfo*. Su disco, "Corazón latino", 1 millón de ventas en solo 6 meses. Famoso en España y América: más de 80 conciertos, entrevistas en revistas y en las televisiones de Estados Unidos y Latinoamérica. Tiene un premio Grammy Latino 2003.

¿Quieres más?
Si quieres saber más sobre tu ídolo, mira en www.davidbisbal.com

El ocio y la música

1. Lee el texto de Carlos.
a. ¿Tiene los mismos horarios que tú?
b. ¿A ti también te gusta la música?

2. Elige a uno de los cantantes o al grupo. Lee el texto y busca la información.
a. Lugar de origen del grupo o cantante:
b. Discos publicados:
c. Premios:

3. Escribe dos frases sobre tu cantante o grupo. Después, informa a tus compañeros.

La Oreja de Van Gogh

La Oreja de Van Gogh, el grupo de San Sebastián, uno de los mejores grupos de música española.

En 1996 cuatro amigos de San Sebastián (Pablo, Haritz, Álvaro y Xabi), muy buenos músicos, conocen en la universidad a Amaya y forman "La Oreja de Van Gogh", uno de los grupos españoles de más éxito:

• Su primer disco, "Dile al sol", de 1998, es un éxito total. Venden más de 800.000 discos.
• En el 2000 su segundo disco, "El viaje de Copperpot", vende 1.100.000 copias.
• Su tercer disco llega en el 2003: "Lo que te conté mientras te hacías la dormida", en menos de seis meses venden más de un millón de copias. Y en el 2006 un nuevo disco, "Guapa".

¿Quieres más?
Si quieres saber más sobre tu grupo, mira en www.laorejadevangogh.com

Alejandro Sanz

Alejandro Sanz, la mayor estrella de la música española.

Alejandro Sanz (Madrid) empieza a tocar la guitarra a los siete años y con diez ya escribe sus primeras canciones.

Su primer disco, en 1991, con 22 años, "Viviendo deprisa" recibe siete discos de platino en España y vende más de un millón de discos en todo el mundo. Con "Si tú me miras", su segundo disco, y "Alejandro Sanz III", es ya un artista conocido dentro y fuera de España.

Con "Más", su cuarto disco, es ya un mito de la música latina. Escribe sus canciones y las de muchos otros artistas como Malú o Ricky Martin. Después "El alma al aire" y en 2003 "No es lo mismo", un éxito en la carrera musical de este gran artista.

¿Quieres más?
Si quieres saber más sobre tu ídolo, mira en www.alejandrosanz.com

Interculturalidad

a. ¿Cuáles son tus cantantes favoritos?
b. ¿Son conocidos internacionalmente?
c. ¿Cuáles son los cantantes de tu país más conocidos?

Prepara tu examen

Comunicación

Presentar las actividades cotidianas

> ¿A qué hora te levantas?

> Me levanto a las siete y media.

> ¿A qué hora llegas al instituto?

> Llego a las ocho y media.

Describir objetos: el color

> Tienes un libro azul.

> Tienes dos mochilas rojas.

Expresar gustos

> Me gustan las Matemáticas.

> ¿Te gusta el Inglés?

Expresar acuerdo y desacuerdo

> Me gusta la Educación Plástica.

> A mí también.

> A mí no.

> No me gustan las Ciencias.

> A mí tampoco.

> A mí sí.

Gramática

El verbo *gustar*

Pronombres personales con el verbo *gustar*

(A mí)	me		dibujar, escribir, leer
(A ti)[1]	te	gusta	el deporte
(A usted, él, ella)	le		la Historia
(A nosotros/as)	nos		
(A vosotros/as)	os	gustan	las Matemáticas
(A ustedes, ellos, ellas)	les		las Ciencias
[1](A vos)	te	gusta	

Interrogativos

▷ ¿Cuáles son...?   ▷ ¿Qué haces...?   ▷ ¿De qué color...?

Los colores: género y número

▷ Negro, negros / negra, negras
▷ Azul, azul / azules, azules
▷ Marrón, marrón / marrones, marrones

El presente de indicativo

	Regular LEVANTARSE	Irregular SALIR
(Yo)	me levanto	salgo
(Tú)[1]	te levantas	sales
(Usted, él, ella)	se levanta	sale
(Nosotros/as)	nos levantamos	salimos
(Vosotros/as)	os levantáis	salís
(Ustedes, ellos, ellas)	se levantan	salen
[1](Vos)	te levantás	salís

Vocabulario

▶ Las actividades cotidianas

- cenar
- comer
- desayunar
- ducharse
- hacer los deberes
- irse a la cama
- levantarse
- tomar la merienda

▶ Los colores

- el amarillo
- el azul
- el blanco
- el gris
- el marrón
- el naranja
- el negro
- el rojo
- el rosa
- el verde
- el violeta

▶ Otras palabras

- el amigo, la amiga
- el árbol
- el bocadillo
- el deporte
- la hora
- la noche
- los padres

- andando (= a pie)
- chatear
- estudiar
- ir en bici
- llegar
- mandar
- navegar por Internet
- pasear
- salir
- terminar

- antes de
- por las tardes

- difícil, difícil

Evalúa tus conocimientos.

1.

 COMPRENDO UN TEXTO ESCRITO: UN CHICO HABLA DE SU VIDA.

Lee y di si es verdadero o falso.

El fin de semana:
Normalmente me levanto a las siete y media, pero los fines de semana me levanto más tarde, a las nueve. Voy con mi perro al parque. A las diez desayuno con mis padres y voy al gimnasio para jugar al fútbol con mis amigos. Después voy a casa a comer. Muchos días comemos en casa de mis abuelos. Por la tarde hago los deberes del instituto y a las seis de la tarde tomo un bocadillo de jamón, de chorizo o de chocolate para merendar. Muchos días voy al cine o salgo con mis amigos. Cenamos a las diez y media de la noche y "chateo" con mis amigos. Me voy a la cama un poco tarde, a las once y media.

	V	F
1. Todos los días se levanta a las 7:30, los fines de semana también.		
2. Sale con su perro a pasear por la tarde.		
3. Muchos fines de semana come en casa de sus abuelos.		
4. Por la tarde toma un bocadillo.		
5. Normalmente se va a la cama pronto, pero los fines de semana a las 11:30.		
6. No va al cine.		

2.

(44) **COMPRENDO UN TEXTO ORAL: DESCRIBIR OBJETOS.**

Escucha y localiza cuatro errores en la ilustración.

3.

 ESCRIBO UN TEXTO: MI RUTINA DIARIA.

¿Qué haces los lunes? Indica las horas y las actividades.

4.

 HABLO DE: LOS GUSTOS.

Imagina la conversación entre Carolina y Javier.

:) Bici, guitarra, Matemáticas.
:(Perros, galletas, baloncesto.

:) Guitarra, galletas, baloncesto.
:(Bici, perros, Matemáticas.

Carolina: Me gusta montar en bici.
Javier: A mí no.
Carolina: ...

Vocabulario

▶ Las actividades cotidianas

- cenar
- comer
- desayunar
- ducharse
- hacer los deberes
- irse a la cama
- levantarse
- tomar la merienda

▶ Los colores

- el amarillo
- el azul
- el blanco
- el gris
- el marrón
- el naranja
- el negro
- el rojo
- el rosa
- el verde
- el violeta

▶ Otras palabras

- el amigo, la amiga
- el árbol
- el bocadillo
- el deporte
- la hora
- la noche
- los padres

- andando (= a pie)
- chatear
- estudiar
- ir en bici
- llegar
- mandar
- navegar por Internet
- pasear
- salir
- terminar

- antes de
- por las tardes

- difícil, difícil

1.

COMPRENDO UN TEXTO ESCRITO: UN CHICO HABLA DE SU VIDA.

Lee y di si es verdadero o falso.

> *El fin de semana:*
> *Normalmente me levanto a las siete y media, pero los fines de semana me levanto más tarde, a las nueve. Voy con mi perro al parque. A las diez desayuno con mis padres y voy al gimnasio para jugar al fútbol con mis amigos. Después voy a casa a comer. Muchos días comemos en casa de mis abuelos. Por la tarde hago los deberes del instituto y a las seis de la tarde tomo un bocadillo de jamón, de chorizo o de chocolate para merendar. Muchos días voy al cine o salgo con mis amigos. Cenamos a las diez y media de la noche y "chateo" con mis amigos. Me voy a la cama un poco tarde, a las once y media.*

	V	F
1. Todos los días se levanta a las 7:30, los fines de semana también.	☐	☐
2. Sale con su perro a pasear por la tarde.	☐	☐
3. Muchos fines de semana come en casa de sus abuelos.	☐	☐
4. Por la tarde toma un bocadillo.	☐	☐
5. Normalmente se va a la cama pronto, pero los fines de semana a las 11:30.	☐	☐
6. No va al cine.	☐	☐

2.

(44) **COMPRENDO UN TEXTO ORAL: DESCRIBIR OBJETOS.**

Escucha y localiza cuatro errores en la ilustración.

3.

 ESCRIBO UN TEXTO: MI RUTINA DIARIA.

¿Qué haces los lunes? Indica las horas y las actividades.

4.

HABLO DE: LOS GUSTOS.

Imagina la conversación entre Carolina y Javier.

☺ Bici,
guitarra,
Matemáticas.
☹ Perros,
galletas,
baloncesto.

☺ Guitarra,
galletas,
baloncesto.
☹ Bici,
perros,
Matemáticas.

> *Carolina:* Me gusta montar en bici.
> *Javier:* A mí no.
> *Carolina:* ...

Módulo  5

Acción

PRESENTA A TU FAMILIA

Competencia pragmática

▶ **Eres capaz de...**

›› **Presentar a tu familia.**
›› **Describir personas: el físico.**
›› **Contar hasta** cien.

Competencia gramatical

▶ **Aprendes...**

›› **Los adjetivos posesivos.**
›› **El adjetivo calificativo.**

Competencias lingüísticas

Competencia léxica

▶ **Conoces...**

›› **La familia.**
›› **Los adjetivos para describir el físico.**

Competencia fonética

▶ **Pronuncias y escribes...**

›› **Las palabras con el acento en la antepenúltima sílaba.**

Conocimiento sociocultural

▶ **Descubres...**

›› **La familia española.**

Tu familia

1 ▷ Familia no hay más que una

Sara enseña una foto de su familia a Pedro.
▸a **Escucha y lee el diálogo.**

Sara:	Mira, una foto de mi familia, este verano en Granada.
Pedro:	A ver... A ver...
Sara:	Mira, mi padre se llama José. Y mi madre se llama Elena.
Pedro:	¿Y este es tu abuelo?
Sara:	Sí, es el padre de mi padre, se llama Víctor.
Pedro:	Y tu abuela, ¿cómo se llama?
Sara:	Amelia. Mira... este es mi hermano Lucas, tiene quince años, y mi hermana Elvira.
Pedro:	¿Cuántos años tiene?
Sara:	Seis. Este es mi tío Fernando, el hermano de mi padre, con su mujer, mi tía Julia.
Pedro:	¿Son tus primos?
Sara:	Sí, mi primo se llama Manuel y tiene cinco años, y mi prima tiene un año, se llama Bea.

Mundo hispano:
nombre
+ apellido del padre
+ apellido de la madre.

▸b **Completa el árbol genealógico de Sara en tu cuaderno.**

------ Gil Torrealta   ------ Gómez **Albar**

Julia Robles Aguirre   ------ ------   ------ ------ ------   Elena ------ Báez

------ ------ ------   ------ ------ ------   Sara Gil Montesinos   ------ ------ ------   Elvira ------ ------

▸c **Di si es verdadero o falso.**

	V	F
Lucas es el hermano de Sara.	☐	☐
Víctor es el padre de Elvira.	☐	☐
José es el hermano de Fernando.	☐	☐
Manuel es el primo de Lucas.	☐	☐
Víctor es el padre de Fernando.	☐	☐
Julia es la mujer de José.	☐	☐
Víctor es el marido de Julia.	☐	☐
Amelia es la abuela de Elena.	☐	☐

LA FAMILIA

	El	**La**
Los abuelos	abuelo	abuela
Los padres	padre	madre
Los hermanos	hermano	hermana
Los hijos	hijo	hija
Los tíos	tío	tía
Los primos	primo	prima

El marido y **la** mujer

▸c **Ahora con tu compañero escribe tres frases sobre la familia de Sara: tus compañeros dicen si son verdaderas o falsas.**

Mi padre y mi madre

»a Observa: los adjetivos posesivos.

Mi madre se llama Julia.

Mis hijos son Manuel y Bea.

Nuestra abuela se llama Amalia.

gramática

	MASCULINO		FEMENINO	
	Singular	Plural	Singular	Plural
(Yo)	Mi abuelo	Mis abuelos	Mi abuela	Mis abuelas
(Tú)	Tu hermano	Tus hermanos	Tu hermana	Tus hermanas
(Usted, él, ella)	Su sobrino	Sus sobrinos	Su sobrina	Sus sobrinas
(Nosotros/as)	Nuestro primo	Nuestros primos	Nuestra prima	Nuestras primas
(Vosotros/as)	Vuestro hermano	Vuestros hermanos	Vuestra hermana	Vuestras hermanas
(Ustedes, ellos, ellas)	Su tío	Sus tíos	Su tía	Sus tías

»b Completa las frases con un adjetivo posesivo y contesta, como en el modelo.

• Sara y Lucas, ¿Julia es vuestra abuela?

No, Julia es nuestra tía.

• Manuel, ¿cómo se llama ⬤⬤⬤ padre?
• Sara, ¿Víctor es ⬤⬤⬤ padre?
• Fernando, ¿Sara y Lucas son ⬤⬤⬤ hijos?
• Manuel, ¿José y Elena son ⬤⬤⬤ primos?

• Julia, ¿Bea es ⬤⬤⬤ hija?
• Sara y Lucas, ¿cómo se llama ⬤⬤⬤ madre?
• Manuel, ¿Bea es ⬤⬤⬤ hermana?
• Víctor y Amelia, ¿Fernando y José son ⬤⬤⬤ hijos?

La abuela cumple cien años

»a Escucha a Sara y relaciona.

6

1. Su abuela tiene   a. cuarenta y tres años.   43
2. Su abuelo tiene   b. treinta y cinco años.   35
3. Su padre tiene   c. sesenta y cuatro años.   64
4. Su madre tiene   d. treinta y un años.   31
5. Su tío tiene   e. treinta y ocho años.   38
6. Su tía tiene   f. setenta y dos años.   72

»b Observa.

LOS NÚMEROS

30 treinta	Entre las **decenas** y las **unidades** se usa **y**
40 cuarenta	31 treinta **y** uno
50 cincuenta	45 cuarenta **y** cinco
60 sesenta	67 sesenta **y** siete
70 setenta	
80 ochenta	**uno > un** delante de un nombre **masculino** treinta y un chicos
90 noventa	**una** no cambia treinta y una chicas
100 cien	pero 101 **ciento** uno

7

»c Escucha y escribe los números en cifras y letras en tu cuaderno.

○
   45: cuarenta y cinco.
○

»d Di un número de dos cifras, tus compañeros dicen el número al revés.

32.   23.

¿Cómo son?

1 ▶ Mi tío es alto

55

»a **Escucha a Sara y completa las fichas en tu cuaderno.**

> alto liso negros delgado azules baja rubia rizado gorda
> corto verdes largo marrones bigote pelo barba moreno

Es calvo.

Lleva ....

Mi abuelo es alto
y ....

Mi tía es ....
y delgada.

Es morena.

Tiene el pelo
.... y ....

Tiene los ojos
....

Es ....

Es ....

Lleva gafas,
barba y ....

Mi abuela es baja y
un poco ....

Tiene el ....
corto y rizado.

Tiene los ojos
....

Tiene los
ojos ....

Tiene los ojos
....

Mi tío es ....
y gordo.

Tiene el pelo
.... y ....

DESCRIBIR A UNA PERSONA

Es alto, bajo	Es alta, baja
Es gordo, delgado	Es gorda, delgada
Es rubio, moreno	Es rubia, morena
Es calvo	

Tiene el pelo	corto, largo
	liso, rizado

Tiene los ojos	verdes, azules, negros, marrones

Lleva	gafas, barba, bigote

»b **Descríbete a ti mismo.**

PARA DESCRIBIRTE

Soy...
Tengo...
Llevo...

Los nombres de mis amigos

»a **Observa la ilustración y escribe los nombres de los chicos en tu cuaderno.**

Antonio Elvira Fernando Elena Natalia Rafa Lola Laura Rubén Paco

SON ALTOS Y RUBIOS:	
SON BAJOS:	
LLEVAN GAFAS:	
SON MORENOS:	
NO TIENEN EL PELO LARGO:	
NO TIENEN EL PELO LISO Y NO SON RUBIAS	

»b **Escucha. ¿Quién es?**

»c **Describe a un personaje. Tus compañeros dicen su nombre.**

Es...

Fernando Alonso
Deportista

Penélope Cruz
Actriz

Enrique Iglesias
Cantante

Shakira
Cantante

Rafael Nadal
Deportista

Es morena. Es...

PARA ADIVINAR

un hombre / una mujer
joven / mayor
un actor / una actriz
un deportista / una deportista
un cantante / una cantante
un presentador / una presentadora

Sale por la tele

»d **Piensa en un personaje famoso de tu país. Tus compañeros adivinan quién es.**

- ¿Es una mujer?
- ¿Es una actriz?
- ¿Es rubia?
- ¿Tiene el pelo largo?
- ¿Es guapa?
- ...

- Sí
- Sí
- No, es morena
- Sí
- Sí

1 ▶ JUEGA CON LAS PERSONAS

¿Quién es...?

⟩⟩1. Escucha a Marcos y localiza a cada miembro de su familia.

⟩⟩2. Escucha a Marcos y calcula la edad de cada persona.

⟩⟩3. Con tu compañero, di cuatro frases. La clase indica de quién hablas.

> Es campeona de surf.
> El número 1.

> Le gusta leer.
> El número 18.

2 ▶ JUEGA CON LOS SONIDOS

Palabras acentuadas en la antepenúltima sílaba.

⟩⟩1. Escucha y observa. Luego, escucha de nuevo y repite las palabras.

- matemáticas
- música
- jóvenes
- página
- bolígrafo
- pájaro

Tienen el acento en la antepenúltima sílaba todas las palabras que...

- Llevan tilde en esa sílaba.

⟩⟩2. Busca en tu libro 10 palabras con el acento en la antepenúltima sílaba. Dicta las palabras a tus compañeros.

Acción

PRESENTA A TU FAMILIA

1. Piensa en las personas de tu familia:

Nombre y apellido(s)

Tus padres
Tus hermanos
Tus abuelos

Edades

2. Dibuja el árbol de tu familia.

3. ¿Cómo son?

Piensa en tres características físicas.
Piensa también en algo que le guste a cada uno: deporte, afición...

4. Con la información anterior, escribe en tu cuaderno un texto sobre tu familia.

Acción

La familia de tu compañero.

Explica a tu compañero cómo es tu familia. Tu compañero te explica la suya. Haz todas las preguntas necesarias y dibuja su árbol genealógico.

¿Tenéis una familia parecida? ¿Qué es igual y qué es diferente?

Los dos tenemos tres hermanos, pero yo tengo...

MAGACÍN CULTURAL

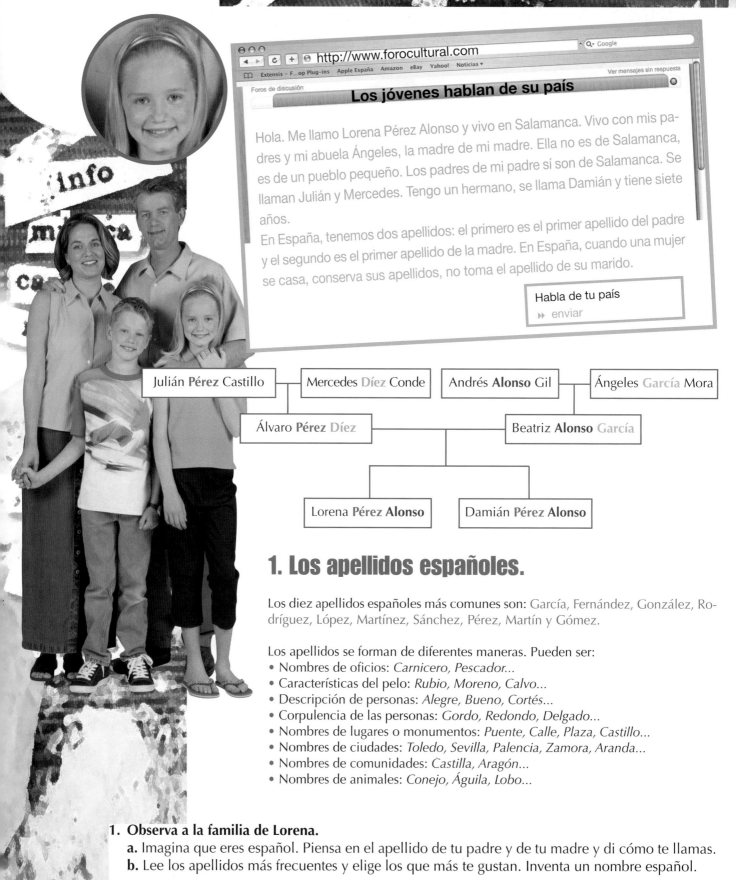

http://www.forocultural.com

Foros de discusión

Los jóvenes hablan de su país

Hola. Me llamo Lorena Pérez Alonso y vivo en Salamanca. Vivo con mis padres y mi abuela Ángeles, la madre de mi madre. Ella no es de Salamanca, es de un pueblo pequeño. Los padres de mi padre sí son de Salamanca. Se llaman Julián y Mercedes. Tengo un hermano, se llama Damián y tiene siete años.

En España, tenemos dos apellidos: el primero es el primer apellido del padre y el segundo es el primer apellido de la madre. En España, cuando una mujer se casa, conserva sus apellidos, no toma el apellido de su marido.

Habla de tu país
▸▸ enviar

Julián **Pérez** Castillo — Mercedes **Díez** Conde   Andrés **Alonso** Gil — Ángeles **García** Mora

Álvaro **Pérez** Díez — Beatriz **Alonso** García

Lorena **Pérez Alonso**   Damián **Pérez Alonso**

1. Los apellidos españoles.

Los diez apellidos españoles más comunes son: García, Fernández, González, Rodríguez, López, Martínez, Sánchez, Pérez, Martín y Gómez.

Los apellidos se forman de diferentes maneras. Pueden ser:
• Nombres de oficios: *Carnicero, Pescador...*
• Características del pelo: *Rubio, Moreno, Calvo...*
• Descripción de personas: *Alegre, Bueno, Cortés...*
• Corpulencia de las personas: *Gordo, Redondo, Delgado...*
• Nombres de lugares o monumentos: *Puente, Calle, Plaza, Castillo...*
• Nombres de ciudades: *Toledo, Sevilla, Palencia, Zamora, Aranda...*
• Nombres de comunidades: *Castilla, Aragón...*
• Nombres de animales: *Conejo, Águila, Lobo...*

1. Observa a la familia de Lorena.
    a. Imagina que eres español. Piensa en el apellido de tu padre y de tu madre y di cómo te llamas.
    b. Lee los apellidos más frecuentes y elige los que más te gustan. Inventa un nombre español.

La familia española

Paella.

2. Una redacción sobre la familia.

Me gusta estar con mi familia. Con ella hago muchas cosas. El día de mi cumpleaños o el de mi hermano, hacemos una merienda por la tarde, con tarta y velas. Siempre me regalan muchas cosas. Cuando es el cumpleaños de mi abuela, vienen a casa a comer todos mis tíos y mis primos, hacemos una gran fiesta. Los fines de semana, por la mañana, damos un paseo por el centro de Salamanca y los domingos la abuela prepara una gran paella para todos.

En Navidad, el 24 de diciembre –la Nochebuena– cenamos con mi abuelo Julián y mi abuela Mercedes, y con los hermanos de mi padre, mis tíos, y con mis primos. Lo pasamos muy bien. El día de Navidad, el 25 de diciembre, comemos con la familia de mi madre, la abuela Ángeles, mis tíos y mis primos. El día de los Reyes Magos, el 6 de enero, abrimos los regalos y, después, vamos a casa de mis abuelos paternos. Allí nos encontramos con mis primos: hay regalos de Reyes para todos.

En verano, normalmente, pasamos unos días en la casa de mi abuela materna en el pueblo; y una o dos semanas en un apartamento que mis abuelos paternos tienen en la playa.

Cena de Navidad.

1. Relaciona las actividades con las fechas.

a. Hacen una comida especial y hay regalos.
b. Se celebra una merienda con tarta y regalos.
c. Comen una paella.
d. Dan un paseo por la ciudad.
e. Cenan todos juntos: abuelos, padres, tíos, primos, etc.
f. Recogen los regalos de los Reyes.
g. Pasan unas semanas juntos en el pueblo y en la playa.

1. El seis de enero.
2. Los domingos.
3. El cumpleaños de la abuela.
4. El veinticuatro de diciembre.
5. Los fines de semana.
6. En verano.
7. El cumpleaños de los chicos.

Interculturalidad

Escribe un texto sobre tu familia y compárala con la familia de Lorena:
a. ¿Cuántos y cómo sois?
b. ¿Cuántos apellidos tienes? ¿Cuál es el apellido de tu familia?
c. ¿Cuáles son los apellidos más frecuentes en tu país?
d. ¿Qué actividades hacéis juntos?
e. ¿Qué costumbres tenéis?

Comunicación

Presentar a la familia

Este es mi hermano Lucas.

Mi padre se llama José.

Tengo dos hermanos.

Mi abuelo tiene setenta años.

Describir personas: el físico

Es alto y delgado.

Es rubia.

Tiene el pelo corto y liso.

Lleva gafas.

Lleva bigote.

Contar hasta cien

Gramática

Los adjetivos posesivos

	MASCULINO		FEMENINO	
	Singular	Plural	Singular	Plural
(Yo)	Mi abuelo	Mis abuelos	Mi abuela	Mis abuelas
(Tú)	Tu hermano	Tus hermanos	Tu hermana	Tus hermanas
(Usted, él, ella)	Su sobrino	Sus sobrinos	Su sobrina	Sus sobrinas
(Nosotros/as)	Nuestro primo	Nuestros primos	Nuestra prima	Nuestras primas
(Vosotros/as)	Vuestro hermano	Vuestros hermanos	Vuestra hermana	Vuestras hermanas
(Ustedes, ellos, ellas)	Su tío	Sus tíos	Su tía	Sus tías

El adjetivo calificativo

▸ Alto, alta
▸ Delgado, delgada

Vocabulario

▶ Los números hasta cien

▸ treinta ▸ cuarenta ▸ cincuenta ▸ sesenta ▸ setenta ▸ ochenta ▸ noventa ▸ cien / ciento...

▶ La familia

- ▸ los abuelos
- ▸ el abuelo, la abuela
- ▸ los padres
- ▸ el padre, la madre
- ▸ los hermanos
- ▸ el hermano, la hermana
- ▸ los hijos

- ▸ el hijo, la hija
- ▸ los tíos
- ▸ el tío, la tía
- ▸ los primos
- ▸ el primo, la prima
- ▸ el marido
- ▸ la mujer

▶ Adjetivos para describir personas

- ▸ alto, alta
- ▸ bajo, baja
- ▸ calvo
- ▸ delgado, delgada
- ▸ gordo, gorda
- ▸ guapo, guapa
- ▸ joven

- ▸ mayor
- ▸ moreno, morena
- ▸ rubio, rubia

▶ Otras palabras

- ▸ el actor, la actriz
- ▸ el árbol genealógico
- ▸ la barba
- ▸ el bigote
- ▸ el deportista, la deportista
- ▸ el cantante, la cantante
- ▸ las gafas
- ▸ el hombre, la mujer
- ▸ el oficio

- ▸ los ojos
- ▸ el pelo corto
- ▸ el pelo largo
- ▸ el pelo liso
- ▸ el pelo rizado

- ▸ alegre, alegre
- ▸ bueno, buena
- ▸ cortés, cortés
- ▸ diferente, diferente
- ▸ joven, joven
- ▸ redondo, redonda

Evalúa tus conocimientos.

1.

📚 **COMPRENDO UN TEXTO ESCRITO: DESCRIPCIÓN DE PERSONAS.**

☐ mal
☐ regular
☐ bien
☐ muy bien

Lee las descripciones y dibuja las caras.

1. Sandra es rubia. Tiene el pelo largo y muy rizado. Sus ojos son grandes y verdes. Lleva gafas marrones. Le gustan los gatos, leer y los caramelos.

2. El abuelo de Sandra tiene el pelo gris, corto y rizado. Lleva un bigote negro y una barba gris muy larga. Sus ojos son azules. Le gustan los bocadillos de jamón, escuchar música clásica, la montaña y el invierno.

2.

(53) 🎧 **COMPRENDO UN TEXTO ORAL: IDENTIFICO PERSONAS.**

☐ mal
☐ regular
☐ bien
☐ muy bien

Escucha y localiza a los amigos de Juan.

Yo soy Juan.

3.

📝 **ESCRIBO UN TEXTO: SOBRE MI FAMILIA.**

☐ mal
☐ regular
☐ bien
☐ muy bien

Presenta a tu familia.
- Indica los nombres.
- Las edades.
- Cómo son.

4.

💬 **HABLO: PERSONAS.**

☐ mal
☐ regular
☐ bien
☐ muy bien

Termina la conversación.

Alicia: ¡Adivina quién es mi deportista favorito!
César: ¡Vale! ¿Cómo es?
Alicia: Pues...

Módulo  6

IMAGINA TU HABITACIÓN IDEAL

▶ **Eres capaz de...**

›› **Describir tu casa.**
›› **Situar en el espacio.**
›› **Expresar existencia: decir qué hay.**
›› **Dar una dirección postal.**

Competencia gramatical

▶ **Aprendes...**

›› Hay + un/a, dos... **+ palabra en plural.**
›› El / la / los / las + está(n)**.**
›› **Presente de indicativo:** estar.
›› **Las expresiones de lugar.**

Competencias lingüísticas

Competencia léxica

▶ **Conoces...**

›› **La casa: habitaciones y elementos.**
›› **La habitación: los muebles y objetos.**
›› **Los ordinales:** primero, segundo...

Competencia fonética

▶ **Pronuncias y escribes...**

›› **El acento escrito.**

Conocimiento sociocultural

▶ **Descubres...**

›› **La vivienda en España.**

11 lección ¿Dónde vives?

1 ▶ Calle Arenal, número 12 »a Observa la invitación, escucha a Alicia y Pedro, y lee el diálogo.

54

Te invito a mi fiesta el próximo
sábado a las 18:00

Calle Arenal, 12 3º A.
28013 Madrid

La cocina

El cuarto de baño

El salón

La terraza

Alicia: Oye, Pedro, te invito este sábado a una fiesta
en mi casa.
Pedro: ¿En tu casa?
Alicia: Sí, vivo en un piso muy grande.
Hay un salón muy grande con terraza, un
comedor, una cocina, cuatro dormitorios y dos
cuartos de baño.
Pedro: ¡Qué bien! Bueno, pues, ¿dónde vives?
Alicia: En la calle Arenal, número doce, en el tercer piso, en la puerta A.
Pedro: Pues nos vemos en tu casa.

El comedor

El dormitorio

»b ¿Verdadero o falso?

	V	F
1. En el piso de Alicia hay tres dormitorios.	☐	☐
2. Hay un cuarto de baño.	☐	☐
3. Hay dos cocinas.	☐	☐
4. Hay un salón.	☐	☐
5. En la casa de Alicia no hay terraza.	☐	☐
6. Alicia vive en el tercer piso.	☐	☐

EXPRESAR EXISTENCIA		
En casa de Alicia	hay	un salón. una cocina. tres habitaciones.

2 ▶ Se usa para... »a Describe qué haces en una habitación.
Tus compañeros dicen qué habitación es.

Cocinar
Estudiar
Comer
Leer
Ver la televisión
Ducharse
Lavarse los dientes
Desayunar
Etc.

En esta habitación veo
la televisión, leo.

Es el salón.

3 ▶ ¿Cómo es tu casa? »a Describe tu casa.

Vivo en un piso, con mis padres,
mi abuelo y mi hermana. En mi
piso hay una cocina...

Vivo en Madrid | C/ Mayor, 5. 4.º dcha.

»a **Relaciona.**

Calle Mayor

Plaza de España

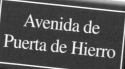

Avenida de Puerta de Hierro

Paseo de Recoletos

Glorieta de Cuatro Caminos

1. número
2. paseo
3. plaza
4. derecha
5. glorieta
6. izquierda
7. avenida
8. calle

a. Avda.
b. C/
c. Dcha.
d. Izda.
e. Gta.
f. N.º
g. P.º
h. Pza.

ORDINALES

1.º primero
2.º segundo
3.º tercero
4.º cuarto
5.º quinto
6.º sexto
7.º séptimo
8.º octavo
9.º noveno
10.º décimo

¿Cómo se pone la dirección?

»b **Observa estas direcciones, escucha y marca las que oyes.**

Belén Luján Martínez
P.º Acacias, 98 - 5.º A
08027 Barcelona

Francisco Lafuente Gómez
C/ Aragón, 154-6.º C
44002 Teruel

Verónica López Higuera
Avd. Aragón, 23-2.º C
46010 VALENCIA

Rafel García Gil
C/ Acacias, 98-1.º C
37004 Salamanca

Belén Muñoz Jiménez
Pza. Aragón, 5-6.º B
41006 Sevilla

»c **Ahora, escribe unos sobres a unos amigos españoles. Utiliza los nombres de calles del plano. Inventa los números.**

¿Dónde vives?

»a **Aquí tienes un plano de Madrid, donde vas a pasar unas vacaciones. Elige una calle y da tu dirección.**

Vivo en la calle...
número...
puerta...

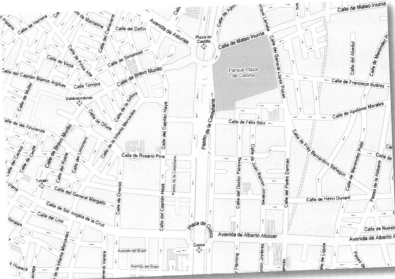

Mi habitación

1 ▶ Amuebla la casa | a tu gusto

▶a **¿Qué hay en el salón? Sitúa los muebles y explícalo.**

> En el salón hay un sofá, una mesa, un sillón y una planta.

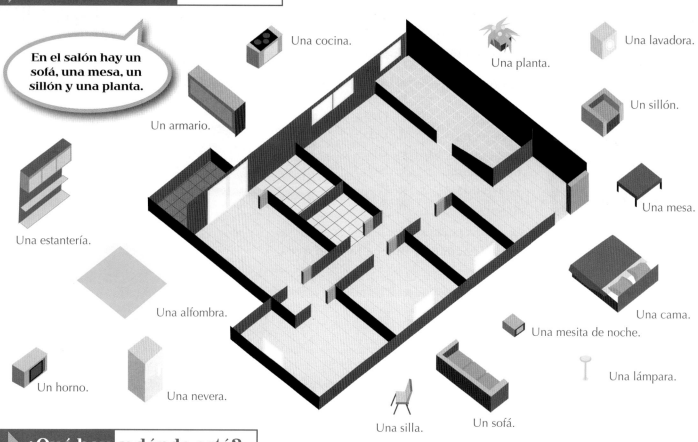

Una cocina.

Una planta.

Una lavadora.

Un sillón.

Un armario.

Una mesa.

Una estantería.

Una cama.

Una alfombra.

Una mesita de noche.

Un horno.

Una nevera.

Una lámpara.

Una silla.

Un sofá.

2 ▶ ¿Qué hay | y dónde está?

▶a **Observa.**

gramática

EXPRESAR LA EXISTENCIA

Hay + un / una…
dos / tres…
nombre en plural

SITUAR
El / la…
Mi / tu / su…   **está**…
Persona o nombre propio

Los / las…
Mis / tus / sus…   **están**…
Personas o nombres propios

▶b **Forma frases.**

- En el comedor
- En el salón
- En la cocina
- En la habitación
- En el cuarto de baño

hay

está

están

- mis libros.
- sillas.
- un sofá.
- el ordenador.
- una mesa.
- dos camas.
- un reloj.
- una librería.
- una alfombra.
- una planta.
- la televisión.

▶c **Forma cinco frases con HAY. Tu compañero las transforma con ESTÁ o ESTÁN.**

> En la cocina hay una planta.

> La planta está en la cocina.

3 ¡Qué desastre!

Alicia ordena su habitación.

»a **Escucha y lee.**

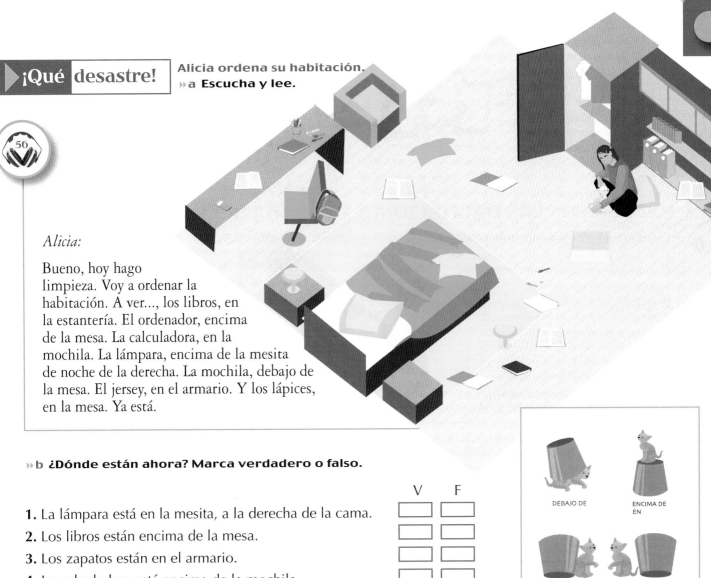

Alicia:

Bueno, hoy hago limpieza. Voy a ordenar la habitación. A ver..., los libros, en la estantería. El ordenador, encima de la mesa. La calculadora, en la mochila. La lámpara, encima de la mesita de noche de la derecha. La mochila, debajo de la mesa. El jersey, en el armario. Y los lápices, en la mesa. Ya está.

»b **¿Dónde están ahora? Marca verdadero o falso.**

	V	F
1. La lámpara está en la mesita, a la derecha de la cama.	☐	☐
2. Los libros están encima de la mesa.	☐	☐
3. Los zapatos están en el armario.	☐	☐
4. La calculadora está encima de la mochila.	☐	☐
5. Los lápices están a la izquierda del ordenador.	☐	☐

DEBAJO DE

ENCIMA DE
EN

A LA DERECHA DE

A LA IZQUIERDA DE

EN

4 Debajo de, encima de...

»a **Habla con tu compañero y encuentra ocho diferencias.**

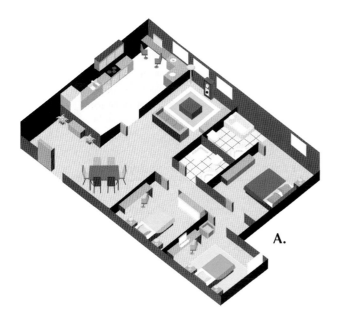

A.

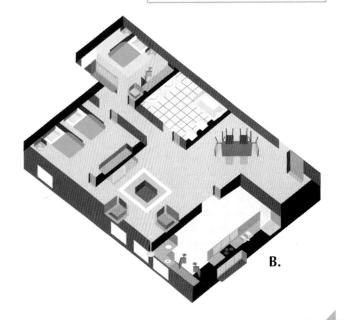

B.

¡A divertirse!

1 ▶ JUEGA CON LAS HABITACIONES Y LOS MUEBLES

57
▶1. Escucha e identifica de quién habla.

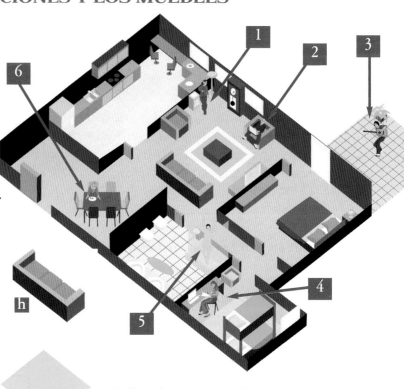

▶2. Encuentra estos ocho objetos en la sopa de letras. Di en qué habitación están...

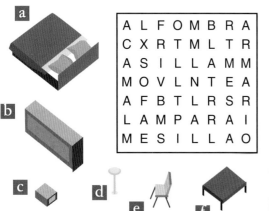

```
A L F O M B R A
C X R T M L T R
A S I L L A M M
M O V L N T E A
A F B T L R S R
L A M P A R A I
M E S I L L A O
```

▶3. Haz tú una sopa de letras con tu compañero.

2 ▶ JUEGA CON LOS OBJETOS

¿Qué hay en tu aula de español? ¿Dónde está?

▶1. Escribe ocho frases.

Está a la derecha
de la puerta.

▶2. Adivinamos. Lee tus frases. La clase dice qué objeto es.

Está a la derecha de
la puerta, ¿qué es?

El póster.

3 ▶ JUEGA CON LOS SONIDOS

El acento escrito.

▶1. Escribe en tu cuaderno el acento si es necesario.

■ □ □		□ ■ □		□ □ ■	
• numero	• pajaro	• cocina	• lapiz	• salon	• abril
• fisica	• sabado	• pasillo	• Victor	• comedor	• sofa
• silaba	• examenes	• futbol	• estante	• ciudad	• jardin
• jovenes	• pagina	• escuchan	• amigos	• reloj	• habitacion

58
▶2. Escucha y clasifica las palabras en tu cuaderno como en el cuadro del ejercicio 1. ¡No olvides los acentos!

1. CREA.

Vas a crear tu habitación ideal. Primero elige la habitación que te gusta.

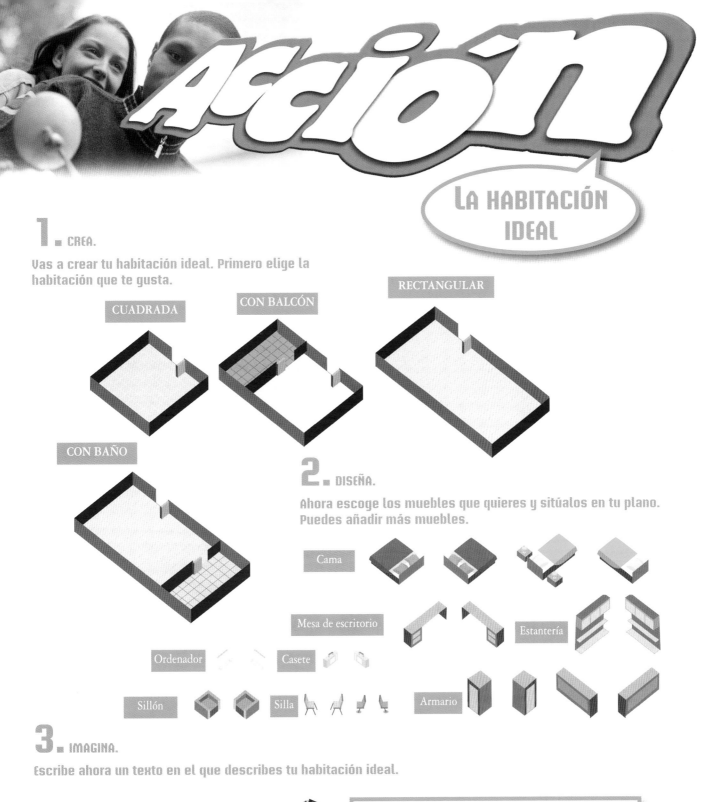

CUADRADA

CON BALCÓN

RECTANGULAR

CON BAÑO

2. DISEÑA.

Ahora escoge los muebles que quieres y sitúalos en tu plano. Puedes añadir más muebles.

Cama

Mesa de escritorio

Estantería

Ordenador   Casete

Sillón   Silla   Armario

3. IMAGINA.

Escribe ahora un texto en el que describes tu habitación ideal.

○ Mi habitación ideal es grande. Tiene una terraza. A la derecha hay una cama. A la izquierda de la cama hay...
○

DESCRIBE.
Habla con tu compañero. Describe cómo es tu habitación ideal. Tu compañero dibuja en su cuaderno tu habitación. Dale todos los detalles. ¿Se parece el dibujo a la habitación de tus sueños?

MAGACÍN CULTURAL

1. Tipos de casas y las direcciones.

http://www.forocultural.com

Q- Google

Extensis – F...op Plug-ins   Apple España   Amazon   eBay   Yahoo!   Noticias ▼

Ver mensajes sin respuesta

Foros de discusión

Los jóvenes hablan de su país

Hola, me llamo Marta. Vivo en Madrid, en un piso de cuatro habitaciones con mi madre, mi padre y mi hermano. Mi dirección es avenida del Mediterráneo, 33, tercero A.

En España, para decir la dirección, primero decimos el nombre de la calle, plaza, avenida, paseo... luego el número de la puerta en la calle, después el piso (bajo, primero, segundo, tercero, cuarto, quinto, sexto, séptimo, octavo, noveno, décimo...) y luego la letra de la puerta.

Los fines de semana vamos a Pozuelo (muy cerca de Madrid) a casa de mi abuela materna. Vive en un chalet con jardín.

En julio, vamos a casa de mis abuelos paternos al pueblo. Está en Galicia, a quince kilómetros de Santiago de Compostela. Allí nos reunimos toda la familia: nosotros, mis tíos y mis primos.

Y en agosto vamos dos semanas a un piso que alquilamos en la playa.

Habla de tu país
↠ enviar

Plaza Cánovas del Castillo.

Plaza Mayor.

Paseo de la Castellana.

Calle Mira el Río.

Apartamentos en la playa.

Chalet.

Casa de pueblo.

1. ¿Dónde prefieres vivir?
   a. En un piso en la ciudad.
   b. En un chalet cerca de una ciudad.
   c. En una casa en el campo.
   d. En un piso cerca de la playa.

2. Lee el texto de Marta y responde a las preguntas:
   a. ¿Dónde vive?
   b. ¿Por qué va los fines de semana a Pozuelo?
   c. ¿Dónde pasa las vacaciones?
   d. ¿Tiene un piso en la playa?

La vivienda en España

2. El concepto de salón.

1. Lee el texto sobre el salón en España y observa las fotos. Responde a las preguntas.

    a. ¿Cuál de los tres salones crees que es más frecuente en España?

    b. ¿Qué tienen en común los tres salones?

    c. ¿En qué se parece el salón normal en tu país con el salón español? ¿En qué es diferente?

El concepto de *salón* o *cuarto de estar*

En España el cuarto de estar o salón es el centro de la vida familiar, es la habitación más importante: es la habitación para estar, leer, ver la televisión, hablar o para recibir a los invitados, y también para comer. En la mayoría de los salones de las casas españolas hay un gran mueble con la televisión. En el mueble hay también muchas fotos y adornos, recuerdos de la familia, y libros. Enfrente hay un sofá y una mesa pequeña. En un lado hay una mesa grande y seis sillas para comer. En las paredes hay muchos cuadros y adornos.

1.

2.

3.

Interculturalidad

    a. Y en tu país, ¿cómo se indica una dirección en una carta o en una postal?

    b. ¿Dónde vives, en un piso, en una casa, en un chalet...? ¿Dónde pasas los fines de semana? ¿Y las vacaciones?

    c. ¿Cuál es la habitación de una casa más importante en tu país? ¿En qué habitación pasas más tiempo?

    d. ¿Dónde estudias, escuchas música, ves la tele, lees, comes...?

    e. Si invitas a varios amigos a tu casa, ¿dónde estás, en tu habitación o en el salón?

Comunicación

Describir la vivienda

Vivo en un piso.

Mi piso es grande.

Mi casa tiene tres habitaciones.

La cocina está a la izquierda del comedor.

Esta es la habitación.

Situar en el espacio

La mesa está en el salón.

La mesita está a la derecha de la cama.

Expresar existencia

En el comedor hay una mesa y cuatro sillas.

En la cocina hay dos sillas.

Gramática

Hay + *un* / *una* / *dos...* / palabra en plural

▷ Hay un libro sobre la mesa.
▷ En la cocina hay una mesa.
▷ Hay cuatro libros en mi habitación.
▷ Hay plantas en la terraza.

El verbo *estar*, en presente de indicativo

	ESTAR
(Yo)	estoy
(Tú) [1]	estás
(Usted, él, ella)	está
(Nosotros, nosotras)	estamos
(Vosotros, vosotras)	estáis
(Ustedes, ellos, ellas)	están
[1] *(Vos)*	*estás*

El / *La* / *Los* / *Las* + *está(n)* para situar

▷ El libro está en la mesa.
▷ La mesa está a la derecha del sofá.

Preposiciones de lugar

▷ debajo de
▷ encima de
▷ a la derecha de
▷ a la izquierda de
▷ en

Vocabulario

▶ Las habitaciones de la casa

- ▸ la cocina
- ▸ el comedor
- ▸ el cuarto de baño
- ▸ el dormitorio
- ▸ la habitación
- ▸ el salón
- ▸ la terraza

▶ Muebles

- ▸ el armario
- ▸ la cama
- ▸ la estantería
- ▸ el estante
- ▸ la mesa
- ▸ la mesita de noche
- ▸ la silla
- ▸ el sillón
- ▸ el sofá

▶ Elementos y objetos de la casa

- ▸ la alfombra
- ▸ el horno
- ▸ la lámpara
- ▸ la lavadora
- ▸ la nevera
- ▸ la puerta
- ▸ la ventana

▶ Adjetivos

- ▸ grande, grande
- ▸ ideal, ideal

▶ Otras palabras

- ▸ el apartamento
- ▸ el chalet
- ▸ el piso
- ▸ el plano
- ▸ la planta

Evalúa tus conocimientos.

1. COMPRENDO UN TEXTO ESCRITO: DESCRIPCIÓN DE UNA CASA.

- [ ] mal
- [ ] regular
- [ ] bien
- [ ] muy bien

a. Lee e indica qué casa se describe.

Vivo en una casa. Es grande. Tiene una cocina, un salón-comedor, dos habitaciones, un cuarto de baño y un jardín. La cocina tiene una te-rraza muy grande con plantas. Mi habitación está a la derecha del salón-comedor. En el jardín hay ár-boles, flores y una mesa con cuatro sillas para comer en verano.

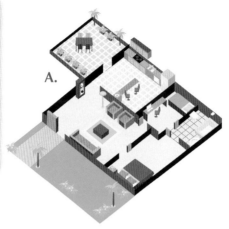

A.

B.

b. Escribe el nombre de cada habitación.

2. COMPRENDO UN TEXTO ORAL: IDENTIFICO OBJETOS.

- [ ] mal
- [ ] regular
- [ ] bien
- [ ] muy bien

Escucha las frases y observa el salón. Identifica el objeto e indica el color.

3. ESCRIBO UN TEXTO: SOBRE MI CASA.

- [ ] mal
- [ ] regular
- [ ] bien
- [ ] muy bien

Describe tu casa: indica el nombre de las habitaciones, dónde están y qué hay en cada una.

4. HABLO: SOBRE MI HABITACIÓN.

- [ ] mal
- [ ] regular
- [ ] bien
- [ ] muy bien

Imagina la conversación.

César: ¿Cómo es tu habitación?
David: Pues...

Apéndice gramatical

▶▶CUADROS DE CONJUGACIONES

Verbos regulares

	-AR HABLAR	-ER RESPONDER	-IR ESCRIBIR
(Yo)	hablo	respondo	escribo
(Tú) [1]	hablas	respondes	escribes
(Usted, él, ella)	habla	responde	escribe
(Nosotros/as)	hablamos	respondemos	escribimos
(Vosotros/as)	habláis	respondéis	escribís
(Ustedes, ellos, ellas)	hablan	responden	escriben
[1] (Vos)	hablás	respondés	escribís

Verbos reflexivos

	LLAMARSE	LEVANTARSE
(Yo)	me llamo	me levanto
(Tú) [1]	te llamas	te levantas
(Usted, él, ella)	se llama	se levanta
(Nosotros/as)	nos llamamos	nos levantamos
(Vosotros/as)	os llamáis	os levantáis
(Ustedes, ellos ellas)	se llaman	se levantan
[1] (Vos)	te llamás	te levantás

Verbos irregulares

	SER	ESTAR	TENER	HACER	SALIR
(Yo)	soy	estoy	tengo	hago	salgo
(Tú) [1]	eres	estás	tienes	haces	sales
(Usted, él, ella)	es	está	tiene	hace	sale
(Nosotros/as)	somos	estamos	tenemos	hacemos	salimos
(Vosotros/as)	sois	estáis	tenéis	hacéis	salís
(Ustedes, ellos, ellas)	son	están	tienen	hacen	salen
[1] (Vos)	sos	estás	tenés	hacés	salís

▸▸GRAMÁTICA

1. LOS ARTÍCULOS: DEFINIDOS E INDEFINIDOS.

	ARTÍCULOS DEFINIDOS			**ARTÍCULOS INDEFINIDOS**	
	Masculino	**Femenino**		**Masculino**	**Femenino**
Singular	el libro	la goma	**Singular**	un libro	una goma
Plural	los libros	las gomas	**Plural**	unos libros	unas gomas

2. LOS SUSTANTIVOS: MASCULINOS Y FEMENINOS, SINGULARES Y PLURALES.

MASCULINO
Palabras terminadas en -o
Palabras terminadas en -or
cuaderno, profesor

SINGULAR
Palabras terminadas en vocal
libro, goma, estuche
Palabras terminadas en consonante
rotulador, español
Palabras terminadas en -z
lápiz

el sacapuntas

FEMENINO
Palabras terminadas en -a
goma, profesora

PLURAL
+ -s
libros, gomas, estuches
+ -es
rotuladores, españoles
-z > -ces
lápices

los sacapuntas

Las tijeras (siempre en plural).

3. LA NACIONALIDAD: MASCULINOS Y FEMENINOS, SINGULARES Y PLURALES.

MASCULINO	**FEMENINO**
Terminadas en consonante	**Terminadas en consonante: + -a**
español - alemán	*española - alemana*
Terminadas en -o	**-o cambia a -a**
italiano - griego	*italiana - griega*

Especial:
Terminada en -a: no cambia: *belga > belga*
Terminada en -e: no cambia: *canadiense > canadiense*
Terminada en -í: no cambia: *marroquí > marroquí*

4. LOS COLORES: MASCULINOS Y FEMENINOS, SINGULARES Y PLURALES.

MASCULINO	**FEMENINO**
Terminados en -o	**-o > -a**
negro, blanco,	*negra, blanca,*
amarillo, rojo	*amarilla, roja*
verde azul marrón	
rosa naranja violeta	

SINGULAR	**PLURAL**
Terminadas en vocal	**+ -s**
blanco, rosa,	*blancos, rosas,*
amarilla, verde	*amarillas, verdes*
Terminadas en consonante	**+ -es**
gris, azul	*grises, azules*
marrón	*marrones* (sin tilde)

5. LOS NÚMEROS: CARDINALES Y ORDINALES.

LOS CARDINALES

1 uno	11 once	21 veintiuno	31 treinta y uno
2 dos	12 doce	22 veintidós	40 cuarenta
3 tres	13 trece	23 veintitrés	50 cincuenta
4 cuatro	14 catorce	24 veinticuatro	60 sesenta
5 cinco	15 quince	25 veinticinco	70 setenta
6 seis	16 dieciséis	26 veintiséis	80 ochenta
7 siete	17 diecisiete	27 veintisiete	90 noventa
8 ocho	18 dieciocho	28 veintiocho	100 cien
9 nueve	19 diecinueve	29 veintinueve	
10 diez	20 veinte	30 treinta	

LOS ORDINALES

1.º primero	1.ª primera
2.º segundo	2.ª segunda
3.º tercero	3.ª tercera
4.º cuarto	4.ª cuarta
5.º quinto	5.ª quinta
6.º sexto	6.ª sexta
7.º séptimo	7.ª séptima
8.º octavo	8.ª octava
9.º noveno	9.ª novena
10.º décimo	10.ª décima

6. LOS POSESIVOS: ADJETIVOS MASCULINOS Y FEMENINOS, SINGULARES Y PLURALES.

	MASCULINO		FEMENINO	
	Singular	Plural	Singular	Plural
(Yo)	Mi abuelo	Mis abuelos	Mi abuela	Mis abuelas
(Tú)	Tu hermano	Tus hermanos	Tu hermana	Tus hermanas
(Usted, él, ella)	Su sobrino	Sus sobrinos	Su sobrina	Sus sobrinas
(Nosotros/as)	Nuestro primo	Nuestros primos	Nuestra prima	Nuestras primas
(Vosotros/as)	Vuestro hermano	Vuestros hermanos	Vuestra hermana	Vuestras hermanas
(Ustedes, ellos, ellas)	Su tío	Sus tíos	Su tía	Sus tías

7. EL VERBO *GUSTAR* Y LOS PRONOMBRES PERSONALES.

(A mí)	me		dibujar, escribir, leer
(A ti)[1]	te	gusta	el deporte
(A usted, él, ella)	le		la Historia
(A nosotros/as)	nos		
(A vosotros/as)	os	gustan	las Matemáticas
(A ustedes, ellos, ellas)	les		las Ciencias
[1](A vos)	te	gusta	

8. CONTRASTE *HAY* Y *ESTÁ(N)*.

EXPRESAR LA EXISTENCIA

Hay +
un / una...
dos / tres...
nombre en plural

SITUAR
El / la...
Mi / tu / su...   **está**...
Persona o nombre propio

Los / las...
Mis / tus / sus...   **están**...
Personas o nombres propios

9. EXPRESIONES DE LUGAR.

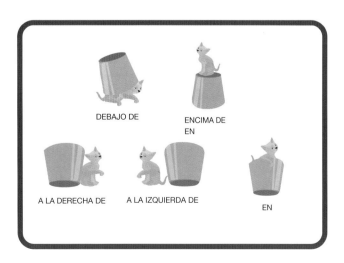

DEBAJO DE   ENCIMA DE EN

A LA DERECHA DE   A LA IZQUIERDA DE   EN

▸▸COMUNICACIÓN

1. SALUDAR Y DESPEDIRSE

¡Hola, buenos días!

¡Hola, buenas tardes!

¡Adiós, buenas noches!

2. PRESENTARSE E IDENTIFICAR

PREGUNTAR Y DECIR EL NOMBRE

- ¿Cómo te llamas?
- Me llamo…

PREGUNTAR Y DECIR LA NACIONALIDAD

- ¿De dónde eres?
- Soy…

IDENTIFICAR

- ¿Quién es?
- Es…

3. HABLAR DE LA EDAD Y DEL CUMPLEAÑOS

PREGUNTAR Y DECIR LA EDAD

- ¿Cuántos años tienes?
- Tengo… años.

PREGUNTAR E INFORMAR SOBRE EL CUMPLEAÑOS

- ¿Cuándo es tu cumpleaños?
- El… de…

4. HABLAR DE LAS ASIGNATURAS Y LAS ACTIVIDADES

PREGUNTAR Y PRESENTAR LAS ASIGNATURAS

- ¿Cuántas asignaturas tienes? / ¿Qué estudias?
- …

INFORMAR DE LAS ACTIVIDADES

- ¿Cuál es tu actividad favorita?
- …

5. DECIR LA HORA E INFORMAR DE CUÁNDO SE REALIZA UNA ACTIVIDAD

PREGUNTAR Y DECIR LA HORA

• ¿Qué hora es?
• (Es) La una... / (Son) Las...

PREGUNTAR E INFORMAR SOBRE CUÁNDO SE REALIZA UNA ACTIVIDAD

• ¿A qué hora…? / ¿Cuándo…?
• A la una... / A las...
Los… (+ *día de la semana*)

6. HABLAR DE LOS GUSTOS

PREGUNTAR E INFORMAR SOBRE LOS GUSTOS

• ¿Te gusta…?
• Sí, me gusta… / No, no me gusta…

EXPRESAR ACUERDO O DESACUERDO

• Me gusta…
• A mí también.

• No me gusta…
• A mí sí.

• Me gusta…
• A mí no.

• No me gusta…
• A mí tampoco.

7. DESCRIBIR PERSONAS

PREGUNTAR Y DESCRIBIR A UNA PERSONA

• ¿Cómo es… ?
• Es alto, bajo… / Es alta, baja…
  Es gordo, delgado… / Es gorda, delgada…
  Es rubio, moreno… / Es rubia, morena…
  Es calvo.
  Tiene el pelo corto, largo, liso, rizado.
  Tiene los ojos verdes, azules, negros, marrones.
  Lleva gafas, barba, bigote…

8. SITUAR

EXPRESAR LA EXISTENCIA   Hay…

SITUAR   Está(n)…

Transcripciones

Módulo 1

Lección 1, ¡Hola!

Saluda a tus amigos

1. ¡Hola, Hugo, buenas tardes!

2. ¡Hola, Alicia, buenos días!

3. ¡Hola, Jaime, buenas tardes!

4. ¡Adiós, Alberto, buenas noches!

¡A divertirse!

Juega con los números

1. seis, cero, dos, tres, uno, cuatro, siete, cinco, cinco.

2. seis, cuatro, dos, ocho, ocho, cuatro, tres, dos, tres.

3. seis, cero, nueve, tres, ocho, dos, ocho, uno, cuatro.

4. seis, seis, seis, uno, siete, nueve, ocho, tres, cinco.

5. seis, cero, dos, tres, cuatro, uno, seis, cinco, cinco.

Evalúa tus conocimientos

Hola, me llamo Carlota y vivo en Las Palmas, en las islas Canarias. Tengo una colección de fotos de países europeos: de Francia, de España, de Italia, de Inglaterra, de Alemania y de Suiza. En el instituto estudio inglés y francés. En el equipo de baloncesto tengo cuatro amigas: Natalia, Sofía, Virginia y Elena. La entrenadora se llama Lorena.

Módulo 2

Lección 4, ¡Feliz cumpleaños!

Las fiestas

Las fiestas más importantes son: el 6 de enero, el día de los Reyes Magos; el 19 de marzo, el día del padre; el 1 de mayo, la fiesta del trabajo; el 12 de octubre, el día de la Hispanidad; el 25 de diciembre, Navidad y el 31 de diciembre, fin de año.

¡A divertirse!

Juega con los sonidos

1. Profesor, mochila, número, apellido, holandés, gramática, América, dirección, español.

2. Perú, cuaderno, bolígrafo, rotulador, sacapuntas, lápices, abril, goma, canción.

Acción

Amiga 1:   Toma, es para ti...

Marina: Muchas gracias. ¿Qué es?

A ver... una pelota de baloncesto. ¡Qué bien!

Amigo 1:	A ver, te tiro de la oreja: uno, dos, tres, cuatro, cinco, seis, siete, ocho, nueve, diez, once, doce y trece.
	Toma. ¡Feliz cumpleaños!
Marina:	Gracias, Pedro.
	¡Un CD de Christina Aguilera!
Amiga 2:	Toma, Marina.
Marina:	Muchas gracias. ¿Qué es? ¿Qué es?
	¡Una mochila! ¡Qué bonita! ¡Gracias!
Amigo 2:	¡Feliz cumpleaños!
Marina:	Muchas gracias. A ver...
	¡Un videojuego! ¡Muchas gracias!

Evalúa tus conocimientos.

1. Tengo un libro, dos cuadernos, un estuche, una goma, un boli y una barra de pegamento.

2. Tengo tijeras, un cuaderno, dos sacapuntas, un estuche, un lápiz y dos libros.

3. Tengo un libro, una goma, un rotulador, dos cuadernos y una barra de pegamento.

Módulo 3

Lección 6, Tus clases

¿Qué hora es?

1

Alicia:	Santi, ¿qué hora es?
Santi:	Es la una y media.
Alicia:	¡La una y media!
Profesor:	Chsssssss... ¡Alicia, Santi!

2

Sara:	Pedro, ¿tienes hora?
Pedro:	Sí... son... las tres menos diez.
Sara:	¡Las tres menos diez! Deprisa... a las tres tenemos examen de Inglés.

3

Sara:	¿Qué hora es?
Alicia:	Las diez y veinte.
Sara:	¡Qué bien! Dentro de diez minutos, el recreo...
Profesor:	Chsssssss...

4

Pedro:	¿Qué hora es, Santi?
Santi:	Las ocho menos cuarto.
Pedro:	¡Las ocho menos cuarto! ¡Qué tarde!

5

Sara:	Uuuff... ¿Qué hora es?
Santi:	Las seis y veinticinco.
Sara:	Uuuff...

¡A divertirse!

Juega con los sonidos

2.

mañana, fácil, ejercicio, nombre, útil, divertido, Pérez, difícil, instituto, Ángel.

Acción

Profesor:	Sandra, ¿cuáles son tus actividades preferidas de la clase de idiomas?
Sandra:	Mm... Escuchar diálogos... conjugar verbos... leer textos y... aprender canciones y... hablar con el profesor, también.
Profesor:	¿Y tú, Pablo?
Pablo:	Hablar con el profesor, hacer ejercicios...
Profesor:	¿Escribir textos?
Pablo:	Sí, escribir textos y... escuchar diálogos.
Profesor:	Bien, ¿Elena?
Elena:	Escribir textos, hablar con el profesor, escuchar diálogos... y... sí, escuchar diálogos.
Profesor:	¿Y tú, Carlos?
Carlos:	Pff... No sé... Describir fotos... leer textos, escribir textos y... no sé...
Profesor:	¿Aprender canciones?
Carlos:	No, canciones no...
Profesor:	¿Hablar con el profesor?
Carlos:	¡Sí!
Profesor:	¿Hacer exámenes?
Todos:	No, exámenes, ¡no!

Evalúa tus conocimientos

1. ¿Cuántas horas de clase tienes?
2. ¿Cuál es tu asignatura favorita?
3. ¿Qué asignaturas tienes los lunes?
4. ¿Qué días tienes Francés?
5. ¿Cuánto dura el recreo?
6. ¿A qué hora tienes Tecnología los martes?
7. ¿Cuántas horas de Inglés tienes?
8. ¿Cuáles son tus actividades de clase preferidas?

Módulo 4

¡A divertirse!

Juega con los colores y los objetos

1. Escribe en su cuaderno.
2. Tiene dos cuadernos amarillos. Conjuga el verbo *to be*.
3. Tiene una mochila verde.
4. Habla con un profesor.
5. Tiene una mochila naranja.
6. Tiene dos cuadernos rojos y escucha música.
7. Tiene dos libros verdes.

Juega con el verbo *gustar*

Qué horas son, mi corazón...

Me gusta la moto, me gustas tú.

Me gusta correr, me gustas tú.

Me gusta la lluvia, me gustas tú.

Me gusta volver, me gustas tú.

Me gusta la gente, me gustas tú.

Me gusta Colombia, me gustas tú.

Me gusta la montaña, me gustas tú.

Me gusta la noche, me gustas tú.

Qué voy a hacer,

je ne sais pas.

Qué voy a hacer

je ne sais plus.

Qué voy a hacer

je suis perdu.

Juega con los sonidos

2.

veintidós, usted, abril, profesor, nacionalidad, capital, catalán, Madrid, veintitrés, azul, Panamá, escribir, papá, José, feliz.

Acción

Hola, me llamo Pablo. Tengo 12 años y mi cumpleaños es en mayo. Todas las mañanas me levanto a las siete menos cuarto. Me ducho y desayuno. Voy al instituto en bici. Las clases son a las ocho. Salgo a las dos y regreso a casa a comer. Por las tardes no tengo clase. Hago los deberes. Estudio durante una hora. Luego, voy a casa de mi amigo Julio. Jugamos con los videojuegos, escuchamos música, hablamos y navegamos por Internet, nos gusta chatear. Ceno a las nueve. Luego, leo cómics o mando SMS a los compañeros del instituto. Me voy a la cama a las diez.

Evalúa tus conocimientos.

Carolina tiene tres libros violetas, dos cuadernos rojos, una regla azul, una mochila rosa, dos lápices naranjas, un estuche verde, una goma blanca, un rotulador negro, un móvil rosa, dos sacapuntas grises y tres archivadores amarillos.

Módulo 5

Lección 9, Tu familia

La abuela cumple cien años

a.

Mi abuela tiene sesenta y cuatro años. Mi abuelo Víctor tiene setenta y dos años. Mi padre tiene cuarenta y tres años. Mi madre tiene treinta y ocho años. Mi tío Fernando tiene treinta y cinco años. Mi tía Julia tiene treinta y un años.

c.

45, 96, 68, 84, 29, 37, 72, 51, 92, 67, 76, 23.

Lección 10, ¿Cómo son?

Los nombres de mis amigos

– ¡Adivina quién es!

– ¡Vale! ¿Es un chico?

– No.

– Una chica...

– ¡Claro!

– ¿Alta?

– Sí.

– ¿Delgada?

– Sí.

– ¿Es rubia?

– No... no...

– Es morena... ¿Tiene el pelo largo y rizado?

– ¡Sí!

– ¡Ya sé quién es!

– Chssss...

¡A divertirse!

Juega con las personas

1.

Marcos: Mi hermana tiene dieciocho años. Es alta, delgada y rubia. Tiene el pelo corto y liso. Lleva gafas. ¿Quién es?

Ah... es cantante en una banda de pop.

Mi abuelo es bajo, un poco gordo y calvo. Mi abuelo es genial, es músico, toca la guitarra.

Mi abuela es alta y delgada. Tiene el pelo gris, largo y rizado. ¡Es campeona de surf!

Tengo una prima y un primo. Mi prima se llama Lola. Es baja, delgada, morena con el pelo largo y rizado. Le gusta la música.

Mi primo es un poco gordo, alto, rubio con el pelo corto y rizado. Se ducha.

Luis es mi tío, el hermano de mi padre. Mi padre y mi tío son altos, delgados y calvos. Los dos llevan barba y bigote. Mi tío se viste y mi padre come un bocadillo de jamón.

Mi madre es alta y delgada. Es morena y tiene el pelo corto y ondulado. Lleva gafas y habla por el móvil.

Ah... y mi perro, Dingo, es grande y le gustan los bocadillos de jamón.

2.

Marcos: Tengo quince años.

Mi hermana tiene tres años más que yo.

Mi madre tiene veintiún años más que mi hermana y dos menos que mi padre.

Mi abuelo tiene la edad de mi madre más la edad de mi padre y mi abuela tiene seis años menos que mi abuelo. Mi prima tiene la misma edad que yo. Mi primo tiene cinco años menos que su hermana. Y mi tío tiene seis años menos que su hermano.

Evalúa tus conocimientos

Hola, me llamo Juan. Te presento a mis amigos.

Lola es delgada, muy delgada, y morena. Tiene el pelo largo y rizado.

Marta es también delgada. Es morena y tiene el pelo largo y rizado.

Julián es bajo. Es moreno y tiene el pelo corto y liso.

Rafa es alto y muy moreno. Tiene el pelo corto y muy rizado.

Módulo 6

Lección 11, ¿Dónde vives?

Vivo en Madrid, C/ Mayor, 5. 4.º dcha.

A ver si están bien las direcciones. Calle Aragón, número ciento cincuenta y cuatro, en el sexto C. Muy bien. Y en el paseo de las Acacias, número noventa y ocho, en el quinto A. Perfecto.

¡A divertirse!

Juega con las habitaciones y los muebles.

Los domingos por la tarde son muy tranquilos en mi casa. Normalmente mi madre está en el salón, escucha música. Mi abuelo también está en el salón, lee el periódico en su sillón. A mi abuela le gusta comer y a las seis está en el comedor. Allí toma una merienda, un café o un té. Mi padre se ducha por la tarde. A mi hermana le gusta navegar por Internet en nuestro cuarto. Y yo estoy en la terraza. Es que toco la guitarra.

Juega con los sonidos

2.

último, pintor, gafas, bici, coche, lunes, inglés, cojín, matemáticas, lámpara, escribís, escriben, alfombra, balcón, actividad, azul, joven, móvil, galleta, mujer.

Evalúa tus conocimientos

Está debajo de la mesa.

Está a la derecha de la lámpara.

Está enfrente de la mesa.

Está en el mueble.

Hay una a la izquierda de la mesita del salón.

Está en una silla.

Está a la derecha del sofá.

Portfolio
Joven.es 1

Tu información personal

Nombre ....

Fecha ....

Estudias en ....

Curso ....

	Insuficiente	Suficiente	Bueno	Muy bueno
Nivel alcanzado				

→ 🗣 Escuchar: Puedo comprender si alguien...

Módulo 1

- me saluda o se despide de mí. | ☐ | ☐ | ☐ | ☐
- se presenta y dice su nombre y apellidos o su nacionalidad. | ☐ | ☐ | ☐ | ☐
- me pregunta mi nombre, mis apellidos o de dónde soy. | ☐ | ☐ | ☐ | ☐

Módulo 2

- habla de regalos o el material escolar. | ☐ | ☐ | ☐ | ☐
- me pregunta por mi edad. | ☐ | ☐ | ☐ | ☐
- dice su edad. | ☐ | ☐ | ☐ | ☐
- me pregunta por el día de mi cumpleaños. | ☐ | ☐ | ☐ | ☐

Módulo 3

- dice el día de su cumpleaños. | ☐ | ☐ | ☐ | ☐
- habla de las actividades de clase. | ☐ | ☐ | ☐ | ☐
- me pregunta la hora o la dice. | ☐ | ☐ | ☐ | ☐
- habla de sus asignaturas favoritas. | ☐ | ☐ | ☐ | ☐
- presenta su horario escolar. | ☐ | ☐ | ☐ | ☐

Módulo 4

- habla de sus actividades cotidianas. | ☐ | ☐ | ☐ | ☐
- menciona los colores. | ☐ | ☐ | ☐ | ☐
- dice sus gustos y opiniones. | ☐ | ☐ | ☐ | ☐

Módulo 5

- menciona a los miembros de su familia o a sus amigos. | ☐ | ☐ | ☐ | ☐
- describe a una persona. | ☐ | ☐ | ☐ | ☐
- dice los números. | ☐ | ☐ | ☐ | ☐

Módulo 6

- me pregunta por una dirección. | ☐ | ☐ | ☐ | ☐
- me indica un lugar. | ☐ | ☐ | ☐ | ☐
- me describe su casa y me indica dónde hay algo. | ☐ | ☐ | ☐ | ☐

Leer: Puedo entender...

Módulo 1
- un cuestionario sencillo sobre mis datos. ☐ ☐ ☐ ☐
- un texto sencillo para presentar a los amigos. ☐ ☐ ☐ ☐

Módulo 2
- un texto sencillo de información personal: la edad y el día del cumpleaños. ☐ ☐ ☐ ☐
- una tarjeta de invitación de cumpleaños y una tarjeta de felicitación. ☐ ☐ ☐ ☐

Módulo 3
- un horario escolar. ☐ ☐ ☐ ☐

Módulo 4
- un correo electrónico en el que alguien habla de sus gustos. ☐ ☐ ☐ ☐
- el plan de estudios de España. ☐ ☐ ☐ ☐

Módulo 5
- un árbol genealógico y la descripción de una persona. ☐ ☐ ☐ ☐
- un texto sencillo que describe las fiestas familiares. ☐ ☐ ☐ ☐

Módulo 6
- las direcciones en un sobre de una carta. ☐ ☐ ☐ ☐
- una descripción sencilla de una casa. ☐ ☐ ☐ ☐

Conversar: Soy capaz de...

Módulo 1
- saludar y despedirme. ☐ ☐ ☐ ☐
- presentarme y conocer a alguien: nombre, apellidos, nacionalidad. ☐ ☐ ☐ ☐

Módulo 2
- hablar de regalos o del material escolar. ☐ ☐ ☐ ☐
- intercambiar información sobre la edad y el día del cumpleaños. ☐ ☐ ☐ ☐
- preguntar y decir una fecha. ☐ ☐ ☐ ☐

Módulo 3
- hablar de mis asignaturas favoritas y conocer las de otros. ☐ ☐ ☐ ☐
- intercambiar información sobre horario escolar. ☐ ☐ ☐ ☐

Módulo 4
- preguntar e informar de las actividades cotidianas. ☐ ☐ ☐ ☐
- mantener una discusión sencilla sobre gustos y opiniones. ☐ ☐ ☐ ☐

Módulo 5
- intercambiar información sobre los miembros de la familia o amigos. ☐ ☐ ☐ ☐
- identificar y describir a una persona. ☐ ☐ ☐ ☐

Módulo 6
- preguntar e indicar una dirección. ☐ ☐ ☐ ☐
- preguntar y describir una casa para situar objetos y habitaciones. ☐ ☐ ☐ ☐

Hablar: Puedo hablar para...

Módulo 1
- saludar y despedirme.
- presentarme: decir mi nombre y mis apellidos o mi nacionalidad.

Módulo 2
- mencionar regalos o mi material escolar.
- preguntar por la edad o decir la mía.
- preguntar por el día de un cumpleaños.
- informar del día de mi cumpleaños.

Módulo 3
- hablar de mis actividades de clase.
- preguntar o decir la hora.
- decir mis asignaturas favoritas.
- presentar mi horario escolar.

Módulo 4
- hablar de mis actividades cotidianas.
- expresar mis gustos y opiniones.

Módulo 5
- mencionar los miembros de mi familia o a mis amigos.
- describir a una persona.
- decir los números.

Módulo 6
- preguntar por una dirección.
- indicar un lugar.
- describir mi casa e indicar dónde hay algo.

Escribir: Puedo escribir para...

Módulo 1
- rellenar un cuestionario sencillo sobre mis datos.
- redactar un texto sencillo para presentar a mis amigos.

Módulo 2
- crear un texto de información personal: la edad y el día del cumpleaños.
- hacer una tarjeta de invitación a mi cumpleaños y una tarjeta de felicitación.

Módulo 3
- confeccionar mi horario escolar.

Módulo 4
- escribir un correo electrónico para hablar de mis gustos.
- describir el plan de estudios de mi país.

Módulo 5
- hacer el árbol genealógico de mi familia y describirla.
- redactar un texto sencillo sobre mis fiestas familiares.

Módulo 6
- escribir las direcciones en un sobre de una carta.
- dar una descripción sencilla de mi casa.

Carpeta de lecturas y actividades complementarias

1. El mundo hispano (conoce los países y lee).
- América latina.
- Argentina.
- Chile.
- México.
- Perú.
- Cuba.

2. Proyecto: Comunicas en español.
- Confecciona tu propio *blog* (lee y escribe).
- Comunícate (habla con tu compañero).

3. Glosario.
- Tu glosario por módulos.
- Tus 250 primeras palabras del español.

MÉXICO

• Monterrey

• Guadalajara

México D.F. •

• Puebla

La Habana •

CUBA

HAITÍ

REPÚBLICA DOMINICANA

Santo Domingo

San Juan

PUERTO RICO

Maracaibo

Océano Atlántico

BELICE

HONDURAS

Tegucigalpa

JAMAICA

NICARAGUA

Managua

Caracas •

Santa Marta

• Medellín

Bogotá •

VENEZUELA

GUYANA

SURINAM

GUAYANA FRANCESA

GUATEMALA

Guatemala

San Salvador

San José

COSTA RICA

EL SALVADOR

PANAMÁ

Panamá

• Cali

COLOMBIA

Guayaquil •

• Quito

ECUADOR

PERÚ

• Callao

Lima

BRASIL

Arequipa •

• Cuzco

• La Paz

• Oruro

BOLIVIA

Océano Pacífico

CHILE

PARAGUAY

Asunción •

ARGENTINA

• Córdoba

Rosario •

Santiago de Chile •

Buenos Aires •

URUGUAY

Montevideo •

Tierra del Fuego

HEMISFERIO NORTE

España

Iberoamérica

HEMISFERIO SUR

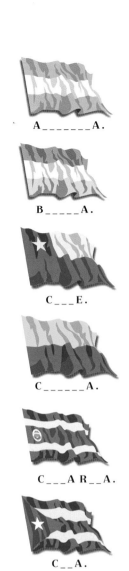

A _ _ _ _ _ _ A.

B _ _ _ _ A.

C _ _ _ E.

C _ _ _ _ _ A.

C _ _ _ A R _ _ A.

C _ _ A.

E _ _ _ _ R.

EL S _ _ _ _ _ _ _.

G _ _ _ _ _ _ A.

H _ _ _ _ _ S.

M _ _ _ _ O.

N _ _ _ _ _ _ A.

P _ _ _ _ Á.

P _ _ _ _ _ Y.

P _ _ Ú.

P _ _ _ _ O R _ _ _.

R _ _ _ _ _ _ A
D _ _ _ _ _ _ _ _ A.

U _ _ _ _ _ Y.

V _ _ _ _ _ _ A.

ARGENTINA.

CHILE.

CUBA.

MÉXICO.

PERÚ.

Actividades

1 - Enumera los países en los que el español es lengua oficial. ¿Cuántos hay?

2 - En tu cuaderno escribe estos países y sus capitales.

3 - ¿A qué país corresponde cada bandera? Completa los nombres.

Lectura

Argentina está en América del Sur y limita con Bolivia, Paraguay, Brasil, Uruguay y con Chile a través de los Andes.

Tiene una superficie de 2.780.000 km².

La capital se llama Buenos Aires y está situada al este, en la orilla derecha del estuario del Río de la Plata.

Al sur están las regiones de Patagonia y Tierra del Fuego, de clima casi polar; al norte, la llanura de El Chaco; al este y en el centro, las verdes llanuras de la Pampa.

Tiene 39 millones de habitantes, y una tercera parte vive en la capital. La lengua oficial es el español, pero en algunos lugares también se hablan lenguas indígenas.

Algunos animales de Argentina están en peligro de extinción: la ballena azul, el yaguareté, el zorro colorado, la chinchilla y el ocelote.

Peso argentino.

Plaza del Obelisco.
BUENOS AIRES.

Gaucho con su caballo.

Barrio de la Boca.
BUENOS AIRES.

Barrio de la Boca.
BUENOS AIRES.

Glaciar Perito Moreno.

Vista panorámica.
BUENOS AIRES.

Cartel.
TIERRA DEL FUEGO.

Catarata.
IGUAZÚ.

Estación de esquí de Bariloche.
PATAGONIA.

Gauchos tomando mate.

Iglesia.
SALTA.

Glaciar Perito Moreno.

Catedral.
CÓRDOBA.

Artesanía.

TIERRA DEL FUEGO.

La Pampa.

Casa Rosada.
BUENOS AIRES.

Carlos Gardel.
(cantante de tangos)

Catedral.
SALTA.

Tango.

Actividades

1 - Nombra los países que tienen una frontera común con Argentina.

2 - ¿Cómo se llama el río más importante?

3 - ¿Dónde está situada la capital?

4 - Sitúa la Patagonia y Tierra del Fuego. ¿Cómo es el clima en esta zona?

5 - Mira las fotografías: ¿cómo se llama el baile más popular? ¿Con qué nombre se conoce el campo argentino?

Lectura

Chile es un país largo y estrecho y está situado en América del Sur, entre la cordillera de los Andes y el océano Pacífico.

Tiene una población de 16,5 millones de habitantes y una extensión de 756.950 km².

La capital se llama Santiago.

La lengua oficial es el español, pero también se hablan lenguas indígenas como el mapuche, el quechua o el aymara.

Estos animales son típicos de Chile: el guanaco, la alpaca, la llama, la vicuña y la chinchilla andina.

Chile es un país maravilloso, lleno de contrastes: el desierto de Atacama, al norte; las playas turísticas de Viña del Mar, en el centro; montañas nevadas y volcanes, en el sur; junto al estrecho de Magallanes, los paisajes polares de Tierra del Fuego, y el misterio de los Moais de la isla de Pascua, sus colosos de piedra.

Peso chileno.

Desierto de Atacama.

Los Andes.

Vista de Santiago desde el Cerro de San Cristóbal.

Torres del Paine. PATAGONIA.

Panorámica de los Moais.

La casa de Pablo Neruda.
ISLA NEGRA.

Mercadillo.
SANTIAGO DE CHILE.

Catedral.
ARICA.

Contraste de edificios.
SANTIAGO.

Guanacos.
PATAGONIA.

Focas.
PATAGONIA.

Puesta de sol.
PATAGONIA.

Casa Colonial.

Moais.
ISLA DE PASCUA. RAPA-NUI.

Palacio de la Moneda.
SANTIAGO.

Cartel.

Desierto de Atacama.

Vista de Santiago.

Paseo marítimo.
VIÑA DEL MAR.

Glaciar Laguna de San Rafael.
PATAGONIA.

Actividades

1- ¿Qué países rodean Chile?
2- ¿Qué océano bordea Chile?
3- ¿Cómo se llaman sus habitantes?
4- ¿Cuál es la capital?
5- Aparte del español, ¿qué otras lenguas se hablan?

ESTADOS UNIDOS

MÉXICO

• Monterrey

Golfo de México

• México D.F.   Yucatán

• Acapulco   BELICE

Océano Pacífico   GUATEMALA

Lectura

México está situado en América del Norte, entre Estados Unidos al norte, y Guatemala y Belice al sur.

Está entre dos océanos: al este, el océano Atlántico y al oeste, el océano Pacífico.

Tiene una superficie de 1.964.162 kilómetros cuadrados y más de 103 millones de habitantes.

Está dividido en 31 estados y la capital es Ciudad de México, pero la gente la llama México D.F. (Distrito Federal), o simplemente D.F., y es la ciudad más poblada del mundo: tiene más de 19 millones de habitantes. Su nombre antiguo es Tenochtitlán, antigua capital de los aztecas.

En México se habla español y más de 60 lenguas indígenas como el náhuatl, el maya y el zapoteco.

Es un país muy antiguo y tiene arte de todas las épocas –sobre todo pirámides enormes–, playas muy bonitas y volcanes impresionantes.

El ave de la izquierda se llama quetzal. Vive en los bosques del estado de Chiapas, al sur de México. ¡Y está en peligro de extinción!

Quetzal.

Guacamole.
Comida típica.

BANCO DE MEXICO
T5703371
500 QUINIENTOS PESOS

Peso mexicano.

Templo de los Guerreros.
CHICHÉN ITZÁ.

Mural de Diego Rivera en el Palacio
Nacional. MÉXICO D.F.

Chac Mool.

Serpiente Emplumada, dios Quetzalcoalt
de las religiones maya y azteca.

Vista general.
MÉXICO D.F.

Artesanía.

Chac Mool.
CHICHÉN ITZÁ.

Frijoles.

Playa del Carmen.
YUCATÁN.

Xochimilco.
MÉXICO D.F.

Catedral.
MÉXICO D.F.

Palacio de Bellas Artes.
MÉXICO D.F.

Los voladores de Chapultepec.
MÉXICO D.F.

Clavados.
ACAPULCO.

El Zócalo.
MÉXICO D.F.

Torre Caballito.
MÉXICO D.F.

Playa.
ACAPULCO.

Danzas rituales.

Choclo.

Actividades

1 - ¿Qué países rodean México?
2 - ¿Cómo se llama su capital?
3 - ¿Cuántos habitantes tiene?
4 - ¿Cuál es el nombre de origen de la capital?
5 - ¿Qué civilización hay antes de llegar los españoles?
6 - ¿Cómo se llama la moneda de México?

Perú tiene una superficie de 1.285.216 km², 27 millones de habitantes, y su capital es Lima.

Está situado en la costa del Pacífico y es el tercer país más grande de América del Sur, después de Brasil y Argentina. Tiene frontera con cinco países: Ecuador, Colombia, Brasil, Bolivia y Chile.

En Perú hay tres paisajes muy diferentes:
- La costa del océano Pacífico, con grandes playas.
- La cordillera de los Andes.
- La selva amazónica.

Las lenguas oficiales son el español y el quechua, pero también se habla el aymara.

Perú tiene lugares maravillosos, llenos de historia y de magia:
- Titicaca, el lago navegable más alto del mundo, cuyas aguas pertenecen a Perú y a Bolivia.
- Muchas leyendas incas.
- Nazca, al sur de Lima, tiene unos misteriosos dibujos en la tierra a lo largo de 500 km².
- Cuzco y el Machu Picchu: Cuzco es la capital del Imperio Inca. Cerca de Cuzco está Machu Picchu, ciudad sagrada de los incas que es hoy Patrimonio Cultural de la Humanidad.

Sol.

Lago Titicaca.
PUNO.

Islas flotantes.
LAGO TITICACA.

Panorámica del MACHU PICCHU.

Barca de totora.
LAGO TITICACA.

Catedral.
LIMA.

Congreso.
LIMA.

Llamas.
AREQUIPA.

Río Amazonas.
IQUITOS.

Nativos.
IQUITOS.

Escalera.
CUZCO.

Cóndor de los Andes.

Volcán Misti.
AREQUIPA.

Colibrí.
NAZCA.

Mono.
NAZCA.

Vista general.
MACHU PICCHU.

Alpaca.

Muralla de piedras.
CUZCO.

Nativos.
CUZCO.

Actividades

1- ¿Con qué países tiene frontera Perú?
2- ¿Qué océano bordea sus costas?
3- ¿Cómo se llama su moneda?
4- ¿En cuántas zonas geográficas se puede dividir?
5- ¿Cómo se llama la civilización pre-colombina?
6- ¿Cuál es la capital del antiguo imperio?
7- ¿Qué conjunto arquitectónico es Patrimonio de la Humanidad?
8- Mira las fotos y nombra:
    a. un gran lago, b. una zona de dibujos en la tierra, c. una ciudad inca.

Lectura

La República de Cuba está situada en el mar Caribe, frente a las costas de México (a 210 km) y de Estados Unidos (a 180 km).

Está formada por la isla de Cuba, la isla de la Juventud y más de 1.600 islotes, y forma parte del archipiélago de las Grandes Antillas. Tiene 11.217.000 habitantes.

La Habana, su capital, es puerto de mar y tiene 3 millones de habitantes. El casco antiguo de la capital, La Habana Vieja, es Patrimonio de la Humanidad.

Hay muchos monumentos de la época colonial española.

El idioma oficial es el español.

En Cuba el clima es bueno y hay playas magníficas como Varadero y Santa Lucía.

A los cubanos les encanta la música y el baile, por ejemplo, la salsa. Hay cantantes de Cuba muy famosos en el mundo, como Gloria Estefan y Compay Segundo.

Estas son algunas plantas y algunos animales típicos de Cuba:

- La caña de azúcar.
- Frutas tropicales como la piña, el mango o el coco.
- Las plantaciones de tabaco.
- El tocororo, el flamenco y el zunzuncito (el pájaro más pequeño del mundo).

Peso cubano.

Puesta de sol.
VARADERO.

Zunzuncito.

Calle Sol.
LA HABANA.

Parada de taxis.
LA HABANA.

Malecón.
LA HABANA.

Vista general del Malecón. LA HABANA.

Plaza de la Revolución.
LA HABANA.

Monumento al Che Guevara.
SANTA CLARA.

Teatro.
CIENFUEGOS.

Transporte.
LA HABANA.

Los Mongotes.
PINAR DEL RÍO.

Niños en la escuela.

Fábrica de tabaco.
LA HABANA.

Vista del Malecón.
LA HABANA.

Coche.

El Morro.
LA HABANA.

Plaza de la Revolución.
LA HABANA.

Catedral.
LA HABANA.

Playa.
VARADERO.

El Capitolio.
LA HABANA.

Muchacha con turbante.

Actividades

1 - ¿Dónde está Cuba? ¿En qué océano?
2 - ¿Cuál es su capital?
3 - ¿Cuántos habitantes tiene la isla?
4 - La Habana Vieja es Patrimonio Artístico de la Humanidad: ¿qué significa?
   ¿Conoces otra ciudad o monumento Patrimonio de la Humanidad?
5 - ¿Cuál es el nombre de la moneda cubana?
6 - ¿Con qué nombre conocemos la música y el baile más popular de Cuba?

Bl@g de David López

"El mejor"

¿Qué es un *blog*?
Un *blog* es un diario personal. Un espacio de colaboración y comunicación. El *blog* es como tú quieres. Existen millones con diferentes formas y contenidos.

¡Soy yo!

- ¡Hola! Me llamo David López Alonso.
- Soy español. Vivo en Santander.
- Mi instituto se llama IES Pablo Picasso.
- En el instituto, estudio inglés y francés.

CALENDARIO

Lun	Mar	Mié	Jue	Vie	Sáb	Dom
				1	2	3
④	5	6	7	8	9	**10**
11	12	13	14	15	16	17
18	19	20	21	22	23	24
25	26	27	28	29	30	

ARCHIVOS

Me presento

Mi amigo

Mi mejor amigo se llama Pedro, tiene doce años.

 BUZÓN DE SALIDA
¡Hola! ¡Hola! ¡Hola!
¿Hay alguien ahí?

@ **Mi dirección de correo electrónico es** chicoschicas@edelsa.es. **Puedes escribirme.**

Ahora confecciona tu *blog*

ME PRESENTO
Puedes dibujar tu *blog* en una hoja de papel y luego lo presentas a la clase. Pon la siguiente información:

- ¿Cómo te llamas?
- ¿De dónde eres?
- ¿Dónde vives?
- ¿Cómo se llama tu instituto?
- ¿Qué idiomas estudias en el instituto?
- ¿Cómo se llama tu mejor amigo / tu mejor amiga?
- ¿Cuántos años tiene?
- ¿Cuál es tu dirección de correo electrónico?

¿Tienes *ciberamigos*?

Observa el mapa e imagina que en estos países tienes *ciberamigos* (• = chica, • un chico).

1. Indica la nacionalidad de tus *ciberamigos* a tu compañero.
2. Escucha a tu compañero y escribe en qué países viven sus *ciberamigos*.

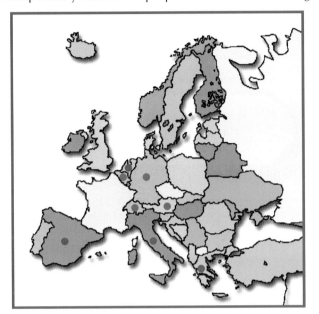

Tengo una amiga española.

Tiene un amigo español.
....
....
....
....
....
....
....

b

....
....
....
....
....
....
....

Tiene una amiga española.

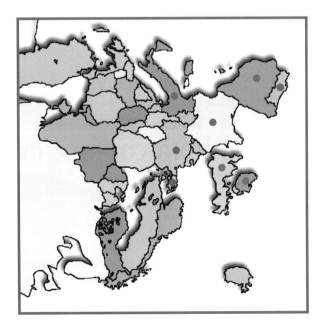

Tengo un amigo español.

2. Escucha a tu compañero y escribe en qué países viven sus *ciberamigos*.
1. Indica la nacionalidad de tus *ciberamigos* a tu compañero.

Observa el mapa e imagina que en estos países tienes *ciberamigos* (• = chica, • un chico).

¿Tienes *ciberamigos*?

Bl@g de David López

"El mejor"

Mis fechas preferidas

- Mi día preferido de la semana es el domingo.
- Mi mes preferido del año es diciembre.
- Mi estación preferida es el verano.

Tengo once años y mi cumpleaños es el 14 de abril.

CALENDARIO

Lun	Mar	Mié	Jue	Vie	Sáb	Dom
				1	2	3
4	(5)	6	7	8	9	**10**
11	12	13	14	15	16	17
18	19	20	21	22	23	24
25	26	27	28	29	30	

@ BUZÓN DE ENTRADA

ARCHIVOS

Mis fechas preferidas
Me presento

@genda

El cumpleaños de mis amigos

Nuria: el 22 de marzo
Julián: el 19 de septiembre
Daniela: el 30 de julio
Carlos: el 9 de febrero

¡Felicidades!

Te deseo un feliz cumpleaños.

Besos.

Daniela

 Mi dirección de correo electrónico es chicoschicas@edelsa.es. **Puedes escribirme.**

Ahora confecciona tu *blog*

MIS FECHAS PREFERIDAS
Completa tu *blog* con esta información:

- ¿Cuáles son tu día, tu mes y tu estación preferidos?
- ¿Cuántos años tienes?
- ¿Cuándo es tu cumpleaños?
- Escribe el día del cumpleaños de cuatro de tus amigos.
- Diseña una postal de cumpleaños.
  - Escribe el nombre de tu amigo/a.
  - Escribe la felicitación.
  - Firma la postal.
  - Dibuja una tarta.   Dibuja cuatro velas.   Dibuja un regalo.

a

Pregunta a tu compañero y completa el cuadro con las fechas de cumpleaños de cada amigo.
Contesta a sus preguntas.

> ¿Cuándo es el cumpleaños de Sandra?

Belén	15/01	Sandra	....
Carlos	28/05	David	....
Elena	03/02	Nuria	....
Alberto	11/10	Víctor	....
Natalia	16/03	Sara	....
José	15/08	Santi	....
Julia	23/08	Carolina	....
Álex	31/12	Lucas	....

b

Álex	....	Lucas	07/07
Julia	....	Carolina	01/01
José	....	Santi	25/02
Natalia	....	Sara	21/09
Alberto	....	Víctor	27/04
Elena	....	Nuria	19/09
Carlos	....	David	14/11
Belén	....	Sandra	30/04

> ¿Cuándo es el cumpleaños de Belén?

Contesta a sus preguntas.
Pregunta a tu compañero y completa el cuadro con las fechas de cumpleaños de cada amigo.

Bl@g de David López

"El mejor"

Mi día preferido

Los lunes:
- de 8.30 a 9.20 tengo Matemáticas.
- de 9.25 a 10.15 tengo Inglés.
- de 10.20 a 11.10 tengo Tecnología.
- después del recreo, de 11.30 a 12.20 tengo Lengua y Literatura.
- de 12.25 a 13.15 tengo Francés.
- de 13.20 a 14.10 tengo Ciencias de la Naturaleza.
El recreo de la mañana dura 20 minutos.

Mi día de clase preferido de la semana es el lunes.

Mis tres actividades de clase preferidas son:
- Escuchar canciones.
- Leer textos.
- Hablar con mis compañeros.

Mi asignatura favorita es el Francés.

@genda

Mis notas en Francés:

- 30 de septiembre: 7
- 13 de octubre: 6
- 29 de octubre: 5
- 18 de noviembre: 6

Mi profesora se llama Elena Montero Cobos. Tengo Francés los lunes, los miércoles y los viernes.

 Mi dirección de correo electrónico es chicoschicas@edelsa.es**. Puedes escribirme.**

CALENDARIO

Lun	Mar	Mié	Jue	Vie	Sáb	Dom
				1	2	3
4	5	6	7	8	9	**10**
11	12	13	14	15	16	17
18	19	20	21	22	23	24
25	26	27	28	29	30	

ARCHIVOS

Mi día preferido
Mis fechas preferidas
Me presento

Ahora confecciona tu *blog*

MI DÍA DE CLASE PREFERIDO
Completa tu *blog* con esta información:

- ¿Cuál es tu día preferido de la semana?
- ¿Qué clase tienes? Escribe las horas y las clases.
- ¿Cuánto dura el recreo?
- ¿Cuál es tu asignatura preferida?
- ¿Cuáles son tus tres actividades preferidas?
- ¿Qué notas tienes en español?
- Escribe las fechas y las notas.
- ¿Cómo se llama tu profesor/profesora?
- ¿Qué días tienes Español?

a

Estas son las notas de un amigo en los tres exámenes del mes.
Pregunta a tu compañero y completa las notas. Responde a sus preguntas.

 .... / 5 / ....

 8 / .... / 6

 .... / 3 / ....

 6 / .... / 8

 .... / 8 / ....

 5 / .... / 6

 .... / 3 / ....

 3 / .... / 6

 .... / 8 / ....

 3 / .... / 6

 .... / 5 / ....

¿Qué nota tiene en el examen 1 de Matemáticas?

b

¿Qué nota tiene en el examen 1 de Tecnología?

 .... / 7 / ....

 6 / .... / 4

 .... / 4 / ....

 8 / .... / 7

 .... / 4 / ....

 3 / .... / 4

 .... / 7 / ....

 9 / .... / 6

 .... / 7 / ....

 2 / .... / 4

 .... / 7 / ....

 3 / .... / 4

Pregunta a tu compañero y completa las notas. Responde a sus preguntas.
Estas son las notas de un amigo en los tres exámenes del mes.

Bl@g de David López

"El mejor"

Mi día a día

Todos los días me levanto a las siete y cuarto.
Me ducho y desayuno.
Salgo de casa a las ocho.
Voy al instituto en autobús con un amigo.
Llego al instituto a las ocho y veinte.
Como a las dos.
Por la tarde tengo dos horas de clase.
Luego, regreso a casa.
Tomo la merienda.
Hago los deberes.
Escucho música.
Leo cómics.
Navego por Internet.
Ceno a las nueve y cuarto.
Me voy a la cama a las diez.

Me gustan...

las vacaciones
mi perro
la playa
la Tecnología
los regalos
ir al parque con mi perro
escuchar música
dibujar
el deporte
chatear
la Navidad
el día de mi cumpleaños
el verano

CALENDARIO

Lun	Mar	Mié	Jue	Vie	Sáb	Dom
				1	2	3
4	5	6	7	8	9	10
11	12	13	14	15	16	17
18	19	20	21	22	23	24
25	26	27	28	29	30	

ARCHIVOS

Mi día a día
Mi día preferido
Mis fechas preferidas
Me presento

No me gustan...

los exámenes	el invierno
aprender poesías	las Matemáticas
conjugar verbos en inglés	hacer los deberes
levantarme a las siete	el color marrón
jugar con los videojuegos	el rap

@ **Mi dirección de correo electrónico es** chicoschicas@edelsa.es**. Puedes escribirme.**

Ahora confecciona tu *blog*

MI DÍA A DÍA
Completa tu *blog* con esta información:

- ¿A qué hora te levantas todos los días?
- ¿Qué haces antes de ir al instituto?
- ¿Cómo vas al instituto?
- ¿A qué hora llegas?
- ¿Tienes clases por las tardes?
- ¿Qué haces cuando regresas a casa?
- ¿A qué hora cenas?
- ¿A qué hora te vas a la cama?
- Escribe seis cosas que te gustan y seis cosas que no te gustan.

a

Pregunta a tu compañero qué le gusta a
cada amigo y contesta a sus preguntas.

¿Qué le gusta a Nuria?

¿A Nuria le gustan... ?

Álex	las Matemáticas	Nuria	....
Antonio	los perros	Elvira	....
Rafa	la playa	Sara	....
César	la montaña	Gloria	....
Julio	tocar la guitarra	Daniela	....
Emilio	la música	Marta	....
Pedro	leer	María	....
Alfonso	dibujar	Sandra	....
Raúl	estudiar	Carmen	....
Marcos	hablar	Maribel	....

b

dormir	Maribel	....	Marcos
pasear con su perro	Carmen	....	Raúl
ir en bici	Sandra	....	Alfonso
Internet	María	....	Pedro
las revistas de moda	Marta	....	Emilio
los videojuegos	Daniela	....	Julio
la Navidad	Gloria	....	César
el Inglés	Sara	....	Rafa
las Ciencias	Elvira	....	Antonio
la Geografía	Nuria	....	Álex

¿A Álex le gustan... ?

¿Qué le gusta a Álex?

Pregunta a tu compañero qué le gusta a
cada amigo y contesta a sus preguntas.

Bl@g **de David López**

"El mejor"

Mi familia

Esta es mi familia:
Mi hermano José tiene 10 años.
Mi hermana Elena tiene 8 años.
Mi madre se llama Sandra, tiene 35 años.
Mi padre se llama Pedro, tiene 38 años.
Mis abuelos:
Mi abuelo paterno se llama Luis, tiene 70 años.
Mi abuela paterna se llama María, tiene 68 años.
Mi abuelo materno se llama Alfonso, tiene 68 años.
Mi abuela materna se llama Ángeles, tiene 66 años.
Mi madre tiene un hermano, es mi tío Julián, tiene 32 años.
Mi tía, la mujer de mi tío Julián, se llama Bea, tiene 30 años.
Tengo dos primos: Julia tiene 5 años y David, 3.
Y tengo un perro, es grande, marrón y tiene 2 años. Le gustan las galletas y el chocolate.

CALENDARIO

Lun	Mar	Mié	Jue	Vie	Sáb	Dom
				1	2	3
4	5	6	7	8	9	**10**
11	12	13	14	15	16	17
18	19	20	21	22	23	24
25	26	27	28	29	30	

ARCHIVOS

Mi familia
Mi día a día
Mi día preferido
Mis fechas preferidas
Me presento

@ **Mi dirección de correo electrónico es** chicoschicas@edelsa.es. **Puedes escribirme.**

Ahora confecciona tu *blog*

PRESENTA A TU FAMILIA
Completa tu *blog* con esta información:

- Diseña el árbol genealógico de tu familia.
- Escribe el nombre y la edad de cada persona.
- Pega una foto o dibuja su rostro.
- ¿Tienes tíos y tías? ¿Cómo se llaman? ¿Cuántos años tienen?
- ¿Tienes primos y primas? ¿Cómo se llaman? ¿Cuántos años tienen?
- ¿Tienes hermanos y hermanas? ¿Cómo se llaman? ¿Cuántos años tienen?
- ¿Tienes un animal? ¿Cómo se llama? ¿De qué color es? ¿Cuántos años tiene? ¿Qué le gusta?

a

Pregunta a tu compañero la edad de cada
persona y contesta a sus preguntas.

¿Cuántos años tiene Andrés?

Tiene...

Marina	22	Andrés	....
Paco	18	Sofía	....
el señor Montero	73	la profesora de Francés	....
la profe de Plástica	29	el señor Aguilera	....
el profe de Historia	57	la señora López	....
la profe de Ciencias	41	el señor Molina	....
el señor Martínez	68	la profesora de Lengua	....
la señora Nadal	74	el señor Castillo	....
el profe de Alemán	36	la señora Cobos	....
la señora Gil	92	el señor Alonso	....

b

82	el señor Alonso	....	la señora Gil
47	la señora Cobos	....	el profe de Alemán
77	el señor Castillo	....	la señora Nadal
45	la profesora de Lengua	....	el señor Martínez
38	el señor Molina	....	la profe de Ciencias
60	la señora López	....	el profe de Historia
85	el señor Aguilera	....	la profe de Plástica
44	la profesora de Francés	....	el señor Montero
14	Sofía	....	Paco
21	Andrés	....	Marina

Tiene...

¿Cuántos años tiene Marina?

Pregunta a tu compañero la edad de cada
persona y contesta a sus preguntas.

Bl@g de David López

"El mejor"

Mi habitación

Me gusta mucho mi habitación.
¡Es genial!
En mi habitación hay...

una estantería roja con libros y un reproductor de CD

un sofá azul

una mesa de trabajo negra con mi ordenador

un armario rojo

una silla verde

un balón de fútbol

una alfombra amarilla

una mesita de noche negra con una lámpara blanca

una cama azul

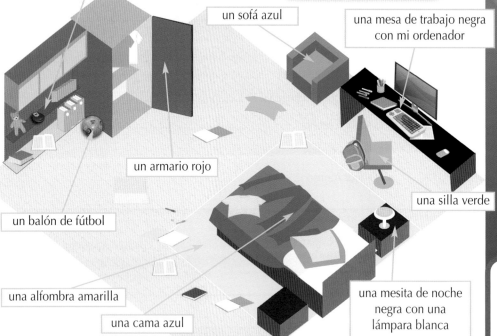

CALENDARIO

Lun	Mar	Mié	Jue	Vie	Sáb	Dom
				1	2	3
4	5	6	7	8	9	10
11	12	13	14	15	16	17
18	19	20	21	22	23	24
25	26	27	28	29	30	

ARCHIVOS

<u>Mi habitación</u>
Mi familia
Mi día a día
Mi día preferido
Mis fechas preferidas
Me presento

En mi habitación hago los deberes, estudio, escucho música, escribo *e-mails* a mis amigos, chateo con mis *ciberamigos*, leo cómics, hablo con mis amigos, juego con los videojuegos, escribo SMS a mis compañeros del instituto.

@ **Mi dirección de correo electrónico es** chicoschicas@edelsa.es. **Puedes escribirme.**

Ahora confecciona tu *blog*

MI HABITACIÓN
Completa tu *blog* con esta información:

• Describe tu habitación.
• Indica los muebles, elementos y objetos.
• Di dónde están y de qué color son, y píntalos.
• Y tú, ¿qué haces en tu habitación? Indica cinco actividades.

a

Observa la ilustración y contesta a las preguntas de tu compañero.

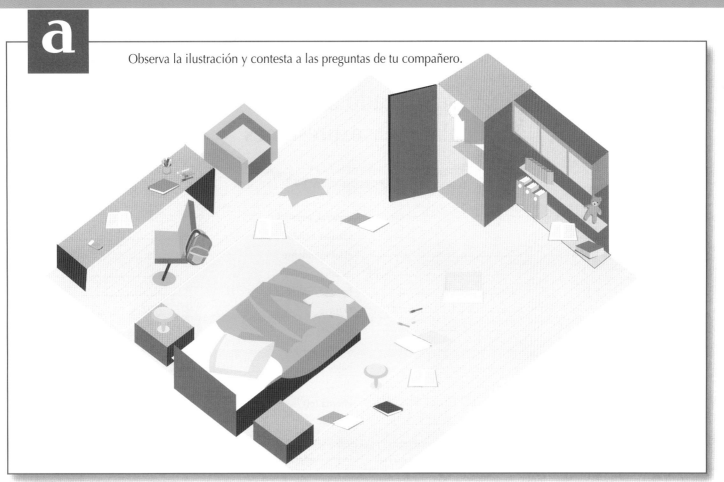

b

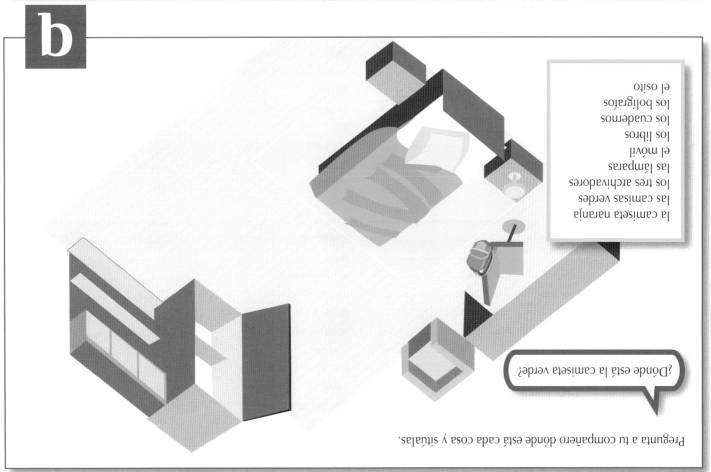

la camiseta naranja
las camisas verdes
los tres archivadores
las lámparas
el móvil
los libros
los cuadernos
los bolígrafos
el osito

¿Dónde está la camiseta verde?

Pregunta a tu compañero dónde está cada cosa y sitúalas.

Escribe en tu idioma el significado de estas palabras y expresiones

MÓDULO 1

acción (la)	....	español, española	....
ahora	....	Estados Unidos	....
alemán, alemana	....	estadounidense	....
Alemania	....	estudiar	....
América	....	francés, francesa	....
americano, americana	....	Francia	....
amigo, amiga (el, la)	....	Grecia	....
apellido (el)	....	griego, griega	....
Argentina	....	hablar	....
argentino, argentina	....	¡hola!	....
bandera (la)	....	idioma (el)	....
belga	....	indicar	....
Bélgica	....	Inglaterra	....
bien	....	inglés, inglesa	....
Brasil	....	instituto (el)	....
brasileño, brasileña	....	Italia	....
¡buenos días!	....	italiano, italiana	....
cambiar	....	leer	....
Canadá	....	lengua (la)	....
canadiense	....	llamarse	....
clase (la)	....	luego	....
cómo	....	mal	....
¿cómo te llamas?	....	mapa (el)	....
completar	....	marroquí	....
comprobar	....	Marruecos	....
cuaderno (el)	....	más	....
¿de dónde eres?	....	moneda (la)	....
decir	....	mundo (el)	....
día (el)	....	muy	....
diálogo (el)	....	nacionalidad (la)	....
dónde	....	no	....
¿dónde vives?	....	nombre (el)	....
él, ella	....	nosotros, nosotras	....
elegir	....	observar	....
ellos, ellas	....	país (el)	....
escuchar	....	Perú	....
España	....	peruano, peruana	....
		Portugal	....
		portugués, portuguesa	....

preguntar	....	mayo	....
presentar	....	mes (el)	....
profesor, profesora (el, la)	....	miércoles (el)	....
pronombre (el)	....	mochila (la)	....
qué	....	noviembre	....
saludar	....	número (el)	....
ser	....	octubre	....
sí	....	otoño (el)	....
Suiza	....	palabra (la)	....
suizo, suiza	....	plural (el)	....
texto (el)	....	primavera (la)	....
tú	....	regalo (el)	....
usted, ustedes	....	regla (la)	....
verbo (el)	....	rey, reina (el, la)	....
vivir	....	rotulador (el)	....
vosotros, vosotras	....	sábado (el)	....
y	....	sacapuntas (el)	....
yo	....	semana (la)	....
		septiembre	....
		tener	....
		un, una	....

MÓDULO 2

		vacaciones (las)	....
abril	....	verano (el)	....
agosto	....	viernes (el)	....
año (el)	....		

MÓDULO 3

bolígrafo (el)	....		
compañero, compañera (el, la)	....	actividades (las)	....
cuándo	....	aprender	....
¿cuándo es tu cumpleaños?	....	asignatura (la)	....
cuántos	....	Ciencias (las)	....
¿cuántos años tienes?	....	cuál	....
cumpleaños (el)	....	¿cuál es tu actividad de clase favorita?	....
diciembre	....	curso (el)	....
domingo (el)	....	deberes (los)	....
edad (la)	....	describir	....
el, la	....	escribir	....
enero	....	favorito, favorita	....
estuche (el)	....	Física (la)	....
febrero	....	francés (el)	....
fiesta (la)	....	Geografía (la)	....
fin de semana (el)	....	hacer	....
goma (la)	....	Historia (la)	....
invierno (el)	....	hora (la)	....
jueves (el)	....	horario (el)	....
julio	....	inglés (el)	....
junio	....	italiano (el)	....
libro (el)	....	leer	....
lunes (el)	....	Lengua (la)	....
martes (el)	....		
marzo			

Literatura (la) ....

Matemáticas (las) ....

Música (la) ....

Plástica (la) ....

¿qué hora es? ....

Tecnología (la) ....

MÓDULO 4

¿a qué hora... ? ....

amarillo (el) ....

azul (el) ....

bici(cleta) (la) ....

blanco (el) ....

cama (la) ....

canción (la) ....

cantante (el, la) ....

casa (la) ....

color (el) ....

comer ....

cotidiano, cotidiana ....

deporte (el) ....

disco (el) ....

expresar ....

grupo (el) ....

gustar ....

ir ....

levantarse ....

marrón (el) ....

negro (el) ....

rojo (el) ....

rosa (el) ....

también ....

tampoco ....

tarde (la) ....

verde (el) ....

violeta (el) ....

MÓDULO 5

abuelo, abuela (el, la) ....

adjetivo (el) ....

alto, alta ....

bajo, baja ....

barba (la) ....

bigote (el) ....

calvo ....

corto, corta ....

delgado, delgada ....

familia (la) ....

gafas (las) ....

gordo, gorda ....

guapo, guapa ....

hermano, hermana (el, la) ....

hijo, hija (el, la) ....

joven ....

largo, larga ....

llevar ....

madre (la) ....

marido (el) ....

mayor ....

moreno, morena ....

mujer (la) ....

ojo (el) ....

padre (el) ....

pelo (el) ....

persona (la) ....

primo, prima (el, la) ....

rizado, rizada ....

rubio, rubia ....

tío, tía (el, la) ....

MÓDULO 6

a la derecha de ....

a la izquierda de ....

alfombra (la) ....

apartamento (el) ....

armario (el) ....

baño (el) ....

calle (la) ....

chalet (el) ....

cocina (la) ....

comedor (el) ....

cuarto de baño (el) ....

debajo de ....

derecha (la) ....

dirección (la) ....

dormitorio (el) ....

encima de ....

estante (el) ....

estantería (la) ....

grande ....

habitación (la) ....

ideal ....

izquierda (la) ....

lámpara (la) ....

mesa (la) ....

mesita de noche (la) ....

muebles (los) ....

piso (el) ....

puerta (la) ....

salón (el) ....

silla (la) ....

sillón (el) ....

sofá (el) ....

terraza (la) ....

ventana (la) ....

Estas son tus 250 primeras palabras del español

a la derecha de
a la izquierda de
abril
abuelo, abuela (el, la)
acción (la)
actividades (las)
adjetivo (el)
agosto
ahora
alemán, alemana
Alemania
alfombra (la)
alto, alta
amarillo (el)
América
americano, americana
amigo, amiga (el, la)
año (el)
apartamento (el)
apellido (el)
aprender
Argentina
argentino, argentina
armario (el)
asignatura (la)
azul (el)
bajo, baja
bandera (la)
baño (el)
barba (la)
belga
Bélgica
bici(cleta) (la)
bien
bigote (el)
blanco (el)
bolígrafo (el)
Brasil
brasileño, brasileña
calle (la)
calvo

cama (la)
cambiar
Canadá
canadiense
canción (la)
cantante (el, la)
casa (la)
chalet (el)
Ciencias (las)
clase (la)
cocina (la)
color (el)
comedor (el)
comer
cómo
compañero, compañera (el, la)
completar
comprobar
corto, corta
cotidiano, cotidiana
cuaderno (el)
cuál
cuándo
cuántos
cuarto de baño (el)
cumpleaños (el)
curso (el)
debajo de
deberes (los)
decir
delgado, delgada
deporte (el)
derecha (la)
describir
día (el)
diálogo (el)
diciembre
dirección (la)
disco (el)
domingo (el)
dónde

dormitorio (el)
edad (la)
él, ella
elegir
ellos, ellas
encima de
enero
escribir
escuchar
España
español, española
Estados Unidos
estadounidense
estante (el)
estantería (la)
estuche (el)
estudiar
expresar
familia (la)
favorito, favorita
febrero
fiesta (la)
fin de semana (el)
Física (la)
francés, francesa
Francia
gafas (las)
Geografía (la)
goma (la)
gordo, gorda
grande
Grecia
griego, griega
grupo (el)
guapo, guapa
gustar
habitación (la)
hablar
hacer
hermano, hermana (el, la)
hijo, hija (el, la)
Historia (la)
hora (la)
horario (el)
ideal
idioma (el)
indicar
Inglaterra
inglés, inglesa
instituto (el)
invierno (el)
ir
Italia
italiano, italiana
izquierda (la)
joven

jueves (el)
julio
junio
lámpara (la)
largo, larga
leer
Lengua (la)
levantarse
libro (el)
Literatura (la)
llamarse
llevar
luego
lunes (el)
madre (la)
mal
mapa (el)
marido (el)
marrón (el)
marroquí
Marruecos
martes (el)
marzo
Matemáticas (las)
mayo
mayor
mes (el)
mesa (la)
mesita de noche (la)
miércoles (el)
mochila (la)
moneda (la)
moreno, morena
muebles (los)
mujer (la)
mundo (el)
Música (la)
muy
nacionalidad (la)
negro (el)
no
nombre (el)
nosotros, nosotras
noviembre
número (el)
observar
octubre
ojo (el)
otoño (el)
padre (el)
país (el)
palabra (la)
pelo (el)
persona (la)
Perú
peruano, peruana

piso (el)
Plástica (la)
Portugal
portugués, portuguesa
preguntar
presentar
primavera (la)
primo, prima (el, la)
profesor, profesora (el, la)
pronombre (el)
puerta (la)
qué
regalo (el)
regla (la)
rey, reina (el, la)
rizado, rizada
rojo (el)
rosa (el)
rotulador (el)
rubio, rubia
sábado (el)
sacapuntas (el)
salón (el)
saludar
semana (la)
septiembre
ser

sí
silla (la)
sillón (el)
sofá (el)
Suiza
suizo, suiza
también
tampoco
tarde (la)
Tecnología (la)
tener
terraza (la)
texto (el)
tío, tía (el, la)
tú
usted, ustedes
vacaciones (las)
ventana (la)
verano (el)
verbo (el)
verde (el)
viernes (el)
violeta (el)
vivir
vosotros, vosotras
yo

Primera edición: 2008
Impreso en España / *Printed in Spain*

© Edelsa Grupo Didascalia, S.A. Madrid, 2008
Autora: María Ángeles Palomino

Dirección y coordinación editorial: Departamento de Edición de Edelsa
Diseño de cubierta e interior: Departamento de Imagen de Edelsa
Ilustraciones: Josema Carrasco
CD audio: producción dirigida y realizada por Grupotalkback.es para Edelsa Grupo Didascalia, S.A.
  Grabado en Estudios Talkback
  Ingenieros de sonido: Eva Laspiur y José Emilio Muñoz
  Asistente de estudio: Nano Castro
  Locutores: José Duque, Gema Rodríguez, Rocío Fernández, César Sánchez, Germán Sanz y Eva Laspiur

Imprenta: Egedsa

ISBN: 978-84-7711-517-5
ISBN para Italia: 978-84-7711-526-7
ISBN para Brasil: 978-84-7711-527-4

Depósito Legal: B-8625-2008

Notas:
- Las imágenes y documentos no consignados más arriba pertenecen al Departamento de Imagen de Edelsa.